W9-CMB-586

Contemporánea

Gay Talese nació en Ocean City, Nueva Jersey, y vive en Nueva York. Es autor de varios títulos entre los que destacan *El puente* (1964), *El reino y el poder* (1969), *Honrarás a tu padre* (1971), *La mujer de tu prójimo* (1981), *Retratos y encuentros* (2003), *Vida de un escritor* (2006) y *El silencio del héroe* (2010). Fue periodista en *The New York Times* entre 1956 y 1965 y, desde entonces, ha escrito para *The Times*, *Esquire*, *The New Yorker*, *Harper's Magazine* y otras publicaciones estadounidenses. Junto con Tom Wolfe, es considerado el pionero del Nuevo Periodismo. En 2012 recibió el Premio Reporteros del Mundo, otorgado por *El Mundo*, en reconocimiento a toda su obra.

Gay Talese

El motel del voyeur

Traducción de
Damià Alou

DEBOLS!LLO

Papel certificado por el Forest Stewardship Council®

Título original: *The Voyeur's Motel*

Primera edición en Debolsillo: enero de 2018
Segunda reimpresión: agosto de 2022

Diseño de la cubierta: Penguin Random House Grupo Editorial
Fotografía de la cubierta: Emiliano Ponzi
Fotografía del autor: © Joyce Tenneson

Printed in Spain – Impreso en España

ISBN: 978-84-663-4210-0
Depósito legal: B-22.969-2017

Impreso en Prodigitalk, S. L.

P 3 4 2 1 0 A

El motel del voyeur

Uno

Conozco a un hombre casado y con dos hijos que hace muchos años se compró un motel de veintiuna habitaciones cerca de Denver a fin de convertirse en su voyeur residente.

Con la ayuda de su esposa, practicó unos agujeros de forma rectangular en los techos de una docena de habitaciones; cada uno medía quince por treinta y cinco centímetros. A continuación, cubrió las aberturas con unas lamas de aluminio de celosía que simulaban rejillas de ventilación, pero que en realidad eran conductos de observación que le permitían, mientras estaba arrodillado o de pie en el suelo del desván cubierto por una gruesa moqueta, bajo el tejado a dos aguas del motel, ver a los huéspedes de las habitaciones de abajo. Estuvo observándolos durante décadas, al tiempo que llevaba un diario en el que anotaba casi cada día lo que veía y oía. Y durante todos esos años, nunca lo pillaron.

No había oído hablar de ese individuo hasta el día en que recibí una carta escrita a mano, enviada por correo exprés y sin firma, fechada el 7 de enero de 1980 y remitida a mi casa de Nueva York. Comenzaba así:

> *Querido señor Talese:*
> *Tras enterarme de la publicación de su muy esperado estudio sobre el sexo a lo largo y ancho del país, que se incluirá en su libro de próxima aparición* La mujer de tu prójimo, *me considero poseedor de una importante información que podría formar parte de ese libro o de otro futuro.*

Seré más concreto. Desde hace quince años soy el propietario de un pequeño motel de veintiuna unidades situado en el área metropolitana de Denver, y al tratarse de un establecimiento de clase media, ha atraído a gente de lo más variopinto y ha tenido como huéspedes a una muestra enormemente representativa de la población estadounidense. Compré este motel para satisfacer mis tendencias de voyeur y mi irresistible interés por todas las fases de la vida de la gente, tanto social como sexualmente, y para responder a la antiquísima pregunta de «cómo la gente se comporta sexualmente en la intimidad de su dormitorio».

A fin de lograr ese objetivo, compré este motel y lo dirigí yo mismo, desarrollando un método infalible para poder observar y escuchar las interacciones de las vidas de diferentes personas sin que se enteraran de que eran observadas. Lo hice tan solo por mi ilimitada curiosidad acerca de la gente, y no únicamente como si fuera un voyeur perturbado. Es algo que he hecho durante los últimos quince años, y he llevado un diario escrupuloso de la mayoría de individuos que he observado, compilando interesantes estadísticas sobre cada uno: qué hacían, qué decían, sus características individuales; edad y complexión; región de procedencia, y comportamiento sexual. Estos individuos eran de condiciones sociales y profesiones diversas. El hombre de negocios que lleva a su secretaria a un motel a mediodía, algo que generalmente se clasifica como «de casquete rápido» en el gremio de moteleros. Parejas casadas que viajaban de un estado a otro, ya fuera por negocios o vacaciones. Parejas que no estaban casadas pero vivían juntas. Mujeres que engañaban a su marido y viceversa. Lesbianismo, del que llevé a cabo un estudio personal debido a que cerca del motel se encuentra un hospital del ejército de los Estados Unidos en el que trabajan numerosas enfermeras y miembros femeninos del ejército. Homosexualidad, que no me interesaba mucho pero que observé

La carta anónima original
de Gerald Foos dirigida
a Gay Talese, fechada
el 7 de enero de 1980.

SPECIAL DELIVERY

SPECIAL DELIVERY

P.O. Box 31450
Aurora, Colo 80041

RETURN RECEIPT
REQUESTED

CERTIFIED
P15 3908753
MAIL

(1. B) JAN 7

January 7, 1980

Dear Mr. Talese:

Since learning of your long awaited study of coast-to-coast sex in America, which will be included in your soon to be published book, "Thy Neighbor Wife", I feel I have important information that I could contribute to its contents or to contents of future books.

Let me be more specific. I am the owner of a small motel, 21 units, in the Denver Metropolitan area. I have owned this motel for the past 15 years, and because of its middle-class nature, it has had the opportunity to attract people from all walks of life and obtain as its guests, a generous cross-section of the American populace. The reason for purchasing this motel, was to satisfy my voyeuristic tendencies and compelling interest in all phases of how people conduct their lives, both socially and sexually, and to answer the age old question, "of how people conduct themselves sexually in the privacy of their own bedroom."

In order to accomplish this end, I purchased this motel and managed it personally, and developed a foolproof method to be able to observe and hear the interaction of different peoples lives, without their ever knowing

para determinar su motivación y procedimiento. Los años setenta, sobre todo su parte final, trajeron otra desviación sexual llamada «sexo en grupo», que observé con gran interés.

Casi todo el mundo clasifica las prácticas precedentes como desviaciones sexuales, pero puesto que hay una gran proporción de gente que las practica de manera habitual, deberían reclasificarse como inclinaciones sexuales. Si los investigadores sexuales y la gente en general poseyeran la capacidad de indagar en las vidas privadas de los demás y ver cómo practican y llevan a cabo estas actividades, y pudieran determinar con exactitud el elevado porcentaje de personas normales que se entrega a estas así llamadas desviaciones, su opinión cambiaría de inmediato.

He visto expresarse casi todas las emociones humanas, con toda su tragedia y humor. Sexualmente hablando, durante estos últimos quince años he presenciado, observado y estudiado de primera mano el mejor sexo entre parejas, espontáneo, no de laboratorio, y casi todas las demás desviaciones concebibles.

El principal objetivo a la hora de proporcionarle esta información confidencial es la creencia de que podría ser muy valiosa para la gente en general y para los investigadores del sexo en particular.

Además, durante mucho tiempo he querido contar esta historia, pero no tengo talento suficiente, y me da miedo que me descubran. Espero que esta fuente de información pueda ayudarle a añadir una perspectiva adicional a sus otras fuentes en la elaboración de su libro o libros futuros. Si no le interesa esta información, quizá podría ponerme en contacto con alguien que pudiera utilizarla. Si está interesado en obtener más datos o le gustaría inspeccionar mi motel y sus actividades, por favor escríbame al apartado de correos que adjunto o notifíqueme cómo debo ponerme en contacto con usted. De momento no puedo revelar mi identidad a causa de mi negocio, pero se la revelaré cuando me asegure que esta información será completamente confidencial.

Espero que me responda. Gracias.

Atentamente,

A/A del Titular del Apartado
Apartado 31450
Aurora, Colorado
80041

Tras recibir esa carta, la dejé en reserva unos cuantos días, sin saber muy bien cómo responder, ni si debería hacerlo. Me inquietaba profundamente que ese hombre hubiera violado la confianza de sus clientes e invadido su intimidad. Y al ser un escritor de no ficción que insiste en utilizar nombres auténticos en mis libros y artículos, supe enseguida que no aceptaría esa condición de anonimato, aun cuando, tal como sugería su carta, el remitente tuviera poca elección. Para evitar la cárcel, además de las probables demandas que podrían llevarle a la bancarrota, debía proteger la intimidad que había negado a sus huéspedes. Y alguien así, ¿podía ser una fuente fiable?

Sin embargo, mientras releía algunas de sus frases escritas a mano —«Lo hice tan solo por mi ilimitada curiosidad acerca de la gente, y no únicamente como si fuera un voyeur perturbado» y «he llevado un diario escrupuloso de la mayoría de individuos que he observado»—, tuve que admitir que sus métodos de investigación y sus motivaciones se asemejaban a los míos en *La mujer de tu prójimo.* Por ejemplo, yo había tomado notas en privado mientras trabajaba como encargado en salones de masajes de Nueva York y me mezclaba con gente que practicaba el intercambio de parejas en la comunidad nudista de Sandstone Retreat, en el sur de California; y la primera frase de mi libro de 1969 sobre el *New York Times, El reino y el poder,* decía: «Casi todos los periodistas son incansables voyeurs que ven los defectos del mundo, las imperfecciones de la gente y los lugares». Pero la gente que yo observaba y de la que hablaba me había dado su consentimiento.

Cuando en 1980 recibí esta carta, faltaban seis meses para la publicación de *La mujer de tu prójimo,* pero ya se había hecho muchísima publicidad del libro. El *New York Times* había publicado un artículo en su edición del 9 de octubre de 1979, y la compañía cinematográfica United Artists había adquirido los derechos para el cine por 2,5 millones de dólares, superando la cifra más alta pagada hasta entonces por los derechos de un libro para la gran pantalla: *Tiburón,* que se había vendido por 2,15 millones.

Unos años antes, la revista *Esquire* había publicado un fragmento de *La mujer de tu prójimo,* y el libro se había comentado en docenas de revistas y periódicos. Era mi método de investigación lo que había atraído la atención de los periodistas: regentar salones de masajes en Nueva York, estudiar el negocio del sexo en poblaciones grandes y pequeñas a lo largo y ancho del Medio Oeste, el Suroeste y el Sur profundo, y también experimentar de primera mano los datos que había recopilado mientras pasaba varios meses en una comunidad nudista de intercambio de parejas, Sandstone Retreat, en Topanga Canyon, Los Ángeles. En cuanto se publicó, el libro encabezó la lista de los más vendidos del *Times;* permaneció en el número uno durante nueve semanas seguidas, y vendió millones de ejemplares en los Estados Unidos y el extranjero.

En cuanto al hecho de si mi corresponsal en Colorado era, en sus propias palabras, «un voyeur perturbado» —si recordaba al propietario del motel Bates en la película de Alfred Hitchcock *Psicosis,* o al cineasta asesino de la película de Michael Powell *El fotógrafo del pánico;* o si por contra se trataba tan solo de un hombre inofensivo de «curiosidad ilimitada», como el que encarnaba Jimmy Stewart en su papel de fotoperiodista postrado en una silla de ruedas en *La ventana indiscreta* de Hitchcock, o si no era más que un farsante—, solo podía saberlo si aceptaba la invitación del hombre de Colorado y le conocía en persona.

Puesto que tenía planeado viajar a Phoenix ese mismo mes, decidí mandarle una nota con mi número de teléfono, y le propuse hacer una parada en el aeropuerto de Denver de vuelta a Nueva York, donde podríamos encontrarnos en la recogida de equipajes a las cuatro de la tarde del 23 de enero. Unos días más tarde me dejó un mensaje en el contestador afirmando que allí estaría..., y ahí estaba; apareció entre la multitud de gente que esperaba y se acercó a mí mientras yo me dirigía a la cinta transportadora.

—Bienvenido a Denver —dijo sonriendo mientras con la mano izquierda sostenía en alto la nota que yo le había enviado—. Me llamo Gerald Foos.

Mi primera impresión fue que ese afable desconocido se parecía al menos a la mitad de los hombres con los que había viajado en clase preferente. Gerald Foos debía de rondar los cuarenta y cinco, era un tipo de piel clara, ojos color avellana, de una estatura quizá de metro ochenta y con algo de sobrepeso. Llevaba una chaqueta de lana color tabaco sin abrochar y una camisa con el cuello abierto que parecía demasiado pequeña para su pescuezo grueso y musculado. Perfectamente afeitado, poseía una buena mata de pelo oscuro cortado con esmero, con la raya a un lado; y detrás de la gruesa montura de sus gafas de concha proyectaba una expresión invariablemente amistosa digna de un posadero.

Tras estrechar su mano e intercambiar palabras de cortesía mientras esperaba mi equipaje, acepté su invitación de alojarme en su hotel durante unos cuantos días.

—Le pondremos en una de las habitaciones que escapan al privilegio de mi observación —dijo con una sonrisa desenfadada.

—Muy bien —dije—, pero ¿podré acompañarle mientras observa a la gente?

—Sí —respondió—. A lo mejor esta noche. Pero solo después de que Viola, mi suegra, se haya ido a la cama. Es viuda y trabaja con nosotros, y se aloja en una de las habitaciones de nuestro apartamento, detrás de la oficina. Mi esposa y yo siempre hemos procurado que no se enterara de nuestro secreto, ni tampoco nuestros hijos, como es natural. El desván donde se encuentran los conductos de observación está siempre cerrado con llave. Solo mi esposa y yo poseemos esa llave. Como ya le mencioné en la carta, durante los últimos quince años ningún huésped ha sospechado jamás que se le estuviera observando.

A continuación, sacó un papel de carta doblado del bolsillo de la pechera y me lo entregó.

—Espero que no le moleste leer y firmar este papel —dijo—. Me permitirá ser totalmente franco con usted, y podré enseñarle el motel con total libertad.

Se trataba de un documento de una página, perfectamente mecanografiado, en el que se decía que jamás mencionaría su nombre en lo que escribiera, y que tampoco asociaría su motel con la información que decidiera compartir conmigo hasta que no me firmara un documento autorizándolo. En esencia repetía las preocupaciones que ya había expresado en su carta introductoria. Tras leer el documento, lo firmé. ¿Qué más daba? Ya había decidido que no pensaba escribir acerca de Gerald Foos bajo esa restricción. Había ido a Denver tan solo para conocer a ese hombre de «ilimitada curiosidad acerca de la gente» y para satisfacer la ilimitada curiosidad que también despertaba en mí.

Cuando llegó mi equipaje, insistió en llevarlo, y lo seguí a través de la terminal hasta el aparcamiento, y finalmente en dirección a un Cadillac sedán negro de un lustre deslumbrante. Tras colocar el equipaje en el maletero e indicarme que me sentara a su lado, puso el motor en marcha. Reaccionó a mi comentario favorable sobre su coche afirmando que también poseía un Lincoln Continental Mark V, pero que sobre todo estaba orgulloso de sus tres viejos Thunderbird, su descapotable de 1955 y sus no descapotables del 56 y el 57. Añadió que su esposa, Donna, conducía un sedán Mercedes-Benz 220S rojo de 1957.

—Donna y yo llevamos casados desde 1960 —dijo, mientras nos dirigíamos hacia la salida del aeropuerto antes de entrar en la autopista que nos llevaría hasta el motel, situado en la población de Aurora, en el extrarradio de Denver—. Donna y yo fuimos al mismo instituto en una población llamada Ault, a unos cien kilómetros al norte de aquí. Tenía unos mil trescientos habitantes, casi todos granjeros y rancheros.

Los padres de Gerald Foos poseían una granja de sesenta y cuatro hectáreas, y eran germano-americanos. Dijo que eran dos personas trabajadoras, de fiar y de buen corazón que harían cualquier cosa por él..., «excepto hablar de sexo». Cada mañana, su madre se vestía en el vestidor de su dormitorio, y él jamás había visto que ninguno de los dos mostrara interés por el sexo.

—Por lo que, como el tema del sexo despertó en mí una gran curiosidad desde el inicio de mi adolescencia (con todos los animales que hay en una granja, ¿cómo se puede evitar pensar en el sexo?), tuve que buscar fuera de casa para aprender lo que pudiera acerca de la vida privada de los demás.

No tuvo que buscar muy lejos, dijo, mientras el coche avanzaba lentamente a través del tráfico de la hora punta. Una de las hermanas menores de su madre, Katheryn, también casada, ocupaba una granja situada cerca de la de sus padres, a unos setenta metros de distancia. Cuando comenzó a observar a su tía Katheryn, esta probablemente rondaba los treinta, y la describió como una mujer de «pechos grandes, cuerpo delgado y atlético, y un pelo rojo fuego». Por las noches, a menudo se paseaba desnuda por el dormitorio con las luces encendidas y los postigos abiertos, y Gerald echaba un vistazo escondido bajo el alféizar —«una polilla atraída por su llama»— y tranquilamente se pasaba escondido allí una hora, mirando y masturbándose.

—Fue la razón por la que empecé a masturbarme.

Estuvo mirando durante cinco o seis años, y nunca lo pillaron.

—Mi madre a veces me veía salir a hurtadillas y me preguntaba: «¿Adónde vas a estas horas?», y yo ponía cualquier excusa, como que iba a ver cómo estaban los perros porque me había parecido oír a un grupo de coyotes.

A continuación se acercaba a hurtadillas a la ventana de su tía Katheryn con la esperanza de verla paseándose o sentada desnuda, quizá en su tocador, ordenando su colección de muñecas de porcelana en miniatura traídas de Alemania, o su valiosa colección de dedales, que guardaba en una vitrina de madera para curiosidades que colgaba de la pared del dormitorio.

—A veces también estaba su marido, mi tío Charlie, que por lo general dormía profundamente. Bebía mucho, y podía contar con que no se despertaría. En una ocasión vi cómo mantenían relaciones sexuales, cosa que me molestó. Estaba celoso. Ella era *mía,* me decía yo. Había visto su cuerpo más que él, al que siempre había considerado un personaje desabrido que no la trataba bien. Yo estaba enamorado de ella.

Seguí escuchando sin emitir ningún comentario, aunque me sorprendía la franqueza de Gerald Foos. Hacía apenas media hora que lo conocía y ya me estaba desvelando sus fijaciones masturbatorias y sus orígenes como voyeur. Como periodista guiado por mi propia curiosidad, no recuerdo a nadie que me exigiera menos esfuerzo a la hora de arrancarle sus secretos. Me había llevado años ganarme la confianza del lugarteniente de la mafia Bill Bonanno, el protagonista de mi libro *Honrarás a tu padre,* años escribiéndole cartas, visitando a su abogado y cenando con él *off the record.* Con el tiempo me gané su confianza, le convencí para que rompiera el código de silencio de la mafia y llegué a conocer a su mujer y a sus hijos. Pero Gerald Foos no mostró vacilación alguna. Fue el único que habló mientras yo, que había firmado un documento de confidencialidad, le escuchaba sentado en el coche. El coche era su confesionario.

—En el instituto no me acosté con ninguna chica —añadió—, aunque en aquella época casi nadie lo conseguía. Como ya he dicho, allí conocí a mi futura esposa, pero Donna y yo aún no salíamos. Ella era dos años menor que yo. Era una muchacha estudiosa, tranquila y bastante guapa, pero a mí me interesaba una de las animadoras de nuestro equipo de fútbol. Yo era una de las estrellas de la delantera. Durante unos dos años estuve saliendo con esa animadora, una hermosa muchacha llamada Barbara White. Sus padres eran propietarios de una cafetería en la calle Mayor. No teníamos relaciones sexuales, como ya he dicho, pero después de las clases nos besábamos y nos abrazábamos mucho en el asiento delantero de mi camioneta Ford del 48. Una noche estábamos aparcados detrás de la estación de bombeo, en el extremo norte del pueblo, y yo intenté quitarle los zapatos. Quería verle los pies. Tenía las manos preciosas, y un cuerpo esbelto (aún vestía su uniforme de animadora), y simplemente quería verle los pies, tenerlos entre mis manos. A ella no le gustó. Y cuando insistí, se puso hecha una auténtica furia y saltó de la camioneta. A continuación se arrancó la cadena que llevaba al cuello, de la que colgaba mi anillo, y me lo arrojó.

»No la seguí hasta su casa —dijo—. Sabía que todo había terminado. Al día siguiente me vio en el instituto e intentó decir algo, pero ya no importaba. Había perdido su confianza. Ya no pude recuperarla. Nuestro romance había terminado. Yo estaba triste, confuso y un poco frustrado. Terminaba ya mi último año. Necesitaba marcharme. No sabía nada de la gente. Decidí alistarme en la Marina.

Gerald Foos me contó que pasó los cuatro años siguientes destinado en el Mediterráneo y en el Lejano Oriente, y que durante esos años hizo los cursos de especialista en demolición submarina, y cuando tenían permiso para desembarcar ampliaba su conocimiento del sexo bajo la guía de las camareras de los bares. «Mi actitud de voyeur se relajó un poco —escribió posteriormente Gerald—. Hubo unas cuantas ocasiones en las que volví a ejercer de voyeur, pero durante esos años por lo general participé en todas las aventuras sexuales posibles. Para mí fue una época de aprendizaje y experimentación, y aproveché mis viajes con la Marina para descubrir cuanto me fue posible. Pasé dos años embarcado, viajando de puerto en puerto y visitando todas las casas de prostitución desde el área del Mediterráneo hasta el Lejano Oriente. Fue estupendo, pero yo seguía buscando respuestas y quería conocer las cuestiones complejas de lo que ocurre en la intimidad. Mi manera de encontrar la felicidad absoluta era ser capaz de invadir la intimidad de los demás sin que ellos lo supieran».

Pero también seguía masturbándose al recordar a su tía Katheryn, dijo, y añadió:

—Guardo una imagen concreta de ella, de pie, desnuda en su dormitorio mientras acaricia una de sus muñecas de porcelana, eso siempre permanece en mi cabeza, y probablemente siempre estará ahí.

Su comentario me recordó la conocida escena de la película *Ciudadano Kane,* de 1941, en la que el señor Bernstein (interpretado por Everett Sloane) evoca sus recuerdos ante un periodista: «Uno recuerda muchas más cosas de las que la gente cree. Yo, por ejemplo. Un día, allá por el año 1896, iba a Jersey en el trasbordador. Al bajar nos cruzamos con los viajeros de vuelta. Entre los que subían había una joven. Iba vestida de blanco, y llevaba una sombrilla blanca también. Aquella visión duró un segundo, y ella ni siquiera me vio. Pero le aseguro que no ha pasado un mes desde entonces en que no haya pensado en ella».

Poco después de que Gerald Foos se licenciara de la Marina en 1958, mientras visitaba a sus padres en Ault, su madre dijo que hacía poco se había encontrado por la calle Mayor con una de sus compañeras de instituto, Donna

Strong, que ahora estudiaba enfermería en Denver. Gerald se puso en contacto con Donna de inmediato (su novia animadora, Barbara, ya se había casado) y no tardaron en iniciar una relación que desembocó en matrimonio en 1960.

En aquella época, Donna trabajaba de enfermera a tiempo completo en la comunidad suburbana de Aurora, mientras Gerald ejercía de auditor de campo en la sede de Conoco de Denver. Dijo que era un trabajo miserable, que tenía que pasarse cada día sentado en un cubículo ayudando a llevar los registros de inventario de los depósitos de gasolina de Colorado y estados adyacentes. Su actividad principal para huir del tedio consistía en «excursiones voyeurísticas» nocturnas por Aurora, donde él y Donna alquilaron un apartamento en un tercer piso, no lejos del hospital. A menudo a pie, aunque a veces en coche, recorría los vecindarios y aprovechaba que ciertas personas no eran muy escrupulosas a la hora de bajar las persianas, o eran bastante laxas en cuanto a impedir que los intrusos pudieran ver sus dormitorios. Afirmó que no le ocultó su voyeurismo a Donna.

—Incluso antes de nuestro matrimonio le dije que sentía una curiosidad obsesiva por la gente, y que me gustaba mirarla cuando ignoraba que yo la observaba —dijo—. Le conté que me parecía algo excitante, que me producía una sensación de poder, y que en el mundo había muchos hombres como yo —ella pareció comprenderlo, dijo, y desde luego no se la vio escandalizada—. Creo que el hecho de que fuese enfermera me facilitó las cosas. Donna y casi todas las enfermeras eran personas de mentalidad muy abierta. Lo habían visto todo: muerte, enfermedad, dolor, trastornos de todo tipo, y es bastante difícil escandalizar a una enfermera. Al menos, ese no fue su caso.

Y no solo eso, añadió, sino que algunas veces lo acompañó en sus excursiones voyeurísticas, y, tras una noche compartiendo escenas de preámbulos eróticos o relaciones sexuales, que ella encontró interesantes, e incluso estimulantes, le preguntó: «¿Tomas nota de lo que ves?». A lo que él respondió: «Nunca se me ha ocurrido». «Pues a lo mejor deberías», dijo ella. «Me lo pensaré», contestó él; y no tardó en iniciar un diario que, allá por los años setenta, contaba ya con varios centenares de páginas de extensión, y en el que casi todas sus anotaciones se centraban en lo que había visto (y que a veces Donna había visto con él) tras la compra conjunta del motel Manor House, en el 12700 de la avenida East Colfax de Aurora.

—Ya nos estamos acercando al motel —dijo Gerald Foos mientras avanzaba por la avenida East Colfax y atravesaba un barrio blanco de clase trabajadora con muchos edificios bajos: tiendas, residencias unifamiliares, parques de caravanas, un Burger King, un taller de coches, y un viejo cine Fox que a Foos le recordaba una de sus pelis favoritas, *La última película*.

Colfax era una calle importante, la calle principal de la zona en dirección este-oeste. Sobre todo en la parte más cercana de Denver, Colfax era una avenida con mala fama, a la que *Playboy* había calificado en una ocasión como la «calle más larga y más pérfida de los Estados Unidos». Gerald dijo que en Colfax había doscientos cincuenta moteles, y también pasamos junto al motel Riviera, de dos plantas, que Foos se mostró interesado en comprar algún día (dijo que al principio había visitado el Riviera como mirón, merodeando por sus veredas y observando las habitaciones iluminadas de la planta baja); pero al final decidió comprar el Manor House, de una sola planta, porque poseía un tejado a dos aguas que se elevaba en el centro hasta alcanzar el metro ochenta, lo bastante alto como para poder cruzar el suelo del desván sin tener que agacharse; y, si practicaba unas aberturas discretas en los techos de las habitaciones de los huéspedes, podría observar las escenas que discurrieran a sus pies.

Al poco tiempo fue a visitar al propietario del Manor House, un anciano de salud delicada llamado Edward

Green, y Foos intuyó acertadamente que el señor Green estaba ansioso por vender, por lo que de inmediato adquirió la propiedad por ciento cuarenta y cinco mil dólares. Como paga y señal, Foos aportó veinticinco mil dólares que había ahorrado de la herencia de su abuelo paterno y otros veinte mil dólares obtenidos por la venta de una casa en Aurora que Donna y él habían comprado durante su tercer año de matrimonio.

—A Donna tampoco la hacía muy feliz abandonar nuestra casa y vivir en las dependencias del gerente del hotel —dijo—, pero le prometí que compraríamos otra casa en cuanto nos lo pudiéramos permitir. También acepté que Donna no renunciara a su carrera de enfermera, que le apasionaba, para trabajar a tiempo completo como recepcionista. Y así fue como traje a su madre, Viola, para que nos ayudara a llevar el negocio. El padre de Donna abandonó a la familia cuando ella era una niña. Era un músico con talento, y también un diestro carpintero, pero bebía. Después de nuestra boda, de vez en cuando aparecía y le pedía a Donna que le prestara dinero que nunca devolvía. Recuerdo que en una ocasión se presentó en nuestro apartamento de la tercera planta y Donna le entregó todo lo que llevaba en el bolso, más de cincuenta dólares, creo. Cuando se fue, saqué mis binoculares y desde la ventana del tercer piso lo vi cruzar la calle y meterse en la licorería más cercana.

Foos redujo la marcha en la avenida East Colfax y giró a la derecha en la calle Scranton, y luego a la izquierda para entrar en el aparcamiento del motel Manor House, un edificio de ladrillo pintado de verde con puertas de color naranja que conducían a cada una de sus veintiuna habitaciones.

—Parece que estamos bastante llenos —dijo mientras miraba por el parabrisas y observaba que había vehículos ocupando casi todos los espacios delimitados por una línea blanca delante de las puertas naranjas.

Aparcó junto a un edificio adyacente más pequeño, que albergaba una oficina de dos habitaciones, la residencia familiar y, en la parte de atrás, tres habitaciones separadas, de puertas naranjas y numeradas, 22, 23 y 24, cada una de las cuales contaba con una salita y una pequeña cocina.

Mientras seguía a Foos, que me llevaba el equipaje, en la oficina nos saludó su mujer, Donna, una rubia menuda de ojos azules ataviada con su uniforme de enfermera. Tras estrecharme la mano, me dijo que se dirigía al hospital, donde tenía turno de noche, pero que le encantaría hablar conmigo por la mañana. La madre de Donna, Viola —una mujer de pelo gris y gafas sentada tras la recepción, que en aquel momento hablaba por teléfono—, saludó y sonrió en dirección a mí, y yo le devolví el saludo antes de salir con Foos por una puerta y recorrer un estrecho sendero de piedra rumbo a donde yo me alojaría, la habitación 24, al otro extremo del pequeño edificio.

—Ahora esto está más tranquilo que de costumbre —dijo Foos—. Nuestros hijos ya no viven aquí. El chaval, Mark, estudia primero en la Escuela de Minas de Colorado, y nuestra hija, Dianne, que nació con un problema respiratorio, ha tenido que dejar el instituto para que la traten en una clínica del hospital. Donna la visita constantemente entre turno y turno, y yo también voy a verla con regularidad, por lo general por las mañanas.

Foos dejó mi equipaje delante de la habitación 24, y tras abrir la puerta con la llave puso en marcha el climatizador y acercó mi equipaje al armario.

—¿Por qué no deshace las maletas y descansa un rato? —dijo—. Dentro de una hora vendré a buscarle e iremos a ese estupendo restaurante nuevo, el Black Angus. Y después podemos volver y darnos una pequeña vuelta por el desván.

Dos

Una vez me hubo entregado la llave de la habitación, se marchó y deshice las maletas, comencé a tomar notas de mis impresiones de Gerald Foos y lo que me había contado en el coche. Aun cuando no planeara publicar nada, suelo dejar constancia escrita de mis viajes y mis encuentros con la gente, además de guardar los recibos de gastos y otros documentos que luego podría necesitar para la declaración de Hacienda. En lo que antaño había sido una bodega de mi casa de piedra rojiza de Nueva York, y que ahora me sirve de espacio de trabajo y almacenamiento, conservo docenas de cajas de cartón y armarios metálicos llenos de carpetas que contienen esos documentos, todo ello dispuesto por orden cronológico, desde la época actual hasta mediados de los años cincuenta, cuando empecé a trabajar para el *New York Times*. Era el periódico de referencia, y yo era un hombre de referencias. A veces voy allí y reviso viejos documentos tan solo para refrescar la memoria en asuntos personales de poca importancia, y otras veces el material resulta ser profesionalmente útil, como sospechaba que lo sería mi información acerca de Gerald Foos si me permitía revelar su identidad públicamente.

Mientras tanto, lo que más me interesaba de él en realidad no pasaba por tener acceso a su desván. ¿Qué podía ver en su desván que no hubiera visto ya mientras investigaba para mi libro *La mujer de tu prójimo* y frecuentaba el salón de baile e intercambio de parejas de Sandstone? Lo que esperaba conseguir durante esa visita a Colorado era su permiso para leer los centenares de páginas que afirmaba haber escrito durante los últimos quince años en su papel de cronista clandestino.

Aunque yo daba por supuesto que su narración se centraba en lo que le producía excitación sexual, también era posible que él observara y anotara cosas que existieran más allá de la expectativa de su deseo. Un voyeur está motivado por la expectativa; en silencio invierte infinitas horas con la esperanza de ver lo que espera ver. Y sin embargo, por cada episodio erótico que presencia, también tiene acceso a multitud de momentos mundanos y a veces de lo más aburridos que representan la rutina diaria humana de lo vulgar: gente defecando, haciendo zapping, roncando, afeitándose delante del espejo y haciendo otras cosas demasiado tediosas y reales para los *reality shows* de la actualidad. Nadie cobra menos por hora que un voyeur.

Pero, además de todo esto, hay ocasiones en que de manera inadvertida un voyeur sirve de historiador social. Quedaba perfectamente claro en un libro que había leído hacía poco, titulado *The Other Victorians*. Lo había escrito Steven Marcus, biógrafo, ensayista y profesor de literatura en la Universidad de Columbia. Uno de los principales personajes del libro de Marcus es un caballero inglés del siglo XIX nacido en una familia adinerada de clase media que al parecer compensaba con creces su educación represiva manteniendo experiencias voyeurísticas, y también directamente íntimas, con una gran cantidad de mujeres: criadas, cortesanas, esposas ajenas (también tenía la suya propia), y al menos una marquesa. El profesor Marcus afirmaba que este caballero llevaba una vida de «estable promiscuidad».

A partir de mediados de la década de 1880, este sujeto comenzó a escribir unas memorias sexuales acerca de sus relaciones y recuerdos voyeurísticos, y unas décadas más tarde sus esfuerzos conformaban una obra de once volúmenes y más de cuatro mil páginas. La llamó *Mi vida secreta*.

Aunque ocultó su identidad, dispuso que se publicara por iniciativa privada en Ámsterdam, y desde ahí gradualmente alcanzó notoriedad a medida que comenzaban a circular ediciones piratas y fragmentos a través de los círculos literarios clandestinos de Europa y los Estados Unidos. A mediados del siglo XX, mientras las leyes contra la obscenidad se volvían menos represivas, se publicó por primera vez, en 1966, una edición estadounidense de *Mi vida secreta*. La editó Grove Press, y el profesor Marcus la elogió por ser una obra que contenía informaciones y hechos importantes de la historia social de ese periodo.

«Además de presentar esos hechos —escribió Marcus—, *Mi vida secreta* nos muestra que en medio y por debajo del mundo de la Inglaterra victoriana tal como lo conocemos (y tal como solía representarse a sí mismo) tenía lugar una vida social secreta y real, la vida secreta de la sexualidad. Cada día, en todas partes, había gente que se conocía, se encontraba, se juntaba y luego seguía con su vida. Y aunque es cierto que los victorianos no podían evitar saberlo, casi nadie dejaba constancia escrita de ello; la historia social de sus propias experiencias sexuales no formaba parte de la conciencia oficial de sí mismos o de su sociedad».

Puesto que el autor anónimo de *Mi vida secreta* presta especial atención a las prostitutas de Londres, y a menudo las presenta como pragmáticas bien recompensadas que responden a los deseos del mercado —había una prostituta que contaba con varios criados y tenía una berlina, y ganaba entre cincuenta y setenta libras por semana—, Marcus sugiere que las opiniones del autor y las escenas extraídas «del envés del mundo victoriano» contrastaban con los «valores más positivos» que promovían los novelistas de la época. «Lo que hace Dickens, naturalmente, es suprimir cualquier referencia a las prostitutas y censurar su versión del lenguaje de los muelles», escribió Marcus. A lo que añadió: «Por tanto, lo primero que aprendemos de esas escenas (y las hay a centenares en *Mi vida secreta*) es lo que *no* pasó a formar parte de la novela victoriana, lo que por convención y de común acuerdo quedó excluido o suprimido».

Lo que también se aprende del autor de *Mi vida secreta* son abundantes detalles acerca de la higiene personal y los hábitos en el retrete de los victorianos. Antes de mediados de la década de 1800, existían pocos retretes públicos en la ciudad, y en lugares como Hampton Court Park, hombres y mujeres aliviaban la vejiga entre los arbustos, y por las noches también en las calles.

«La policía no se fijaba en tales menudencias —escribió el autor—, siempre y cuando no se hicieran en la vía pública más importante (aunque de noche he visto a mujeres hacerlo abiertamente en las alcantarillas del Strand); en esa calle en concreto las he visto mear casi en hilera; aunque normalmente lo hacían de dos en dos, pues a las mujeres les gusta que las tapen, así que una se quedaba de pie hasta que la otra había terminado, y a continuación se turnaban».

También informaba de que las mujeres no llevaban ropa interior, pero, ah, en algún momento a mediados de la década de 1900 «parece extenderse cada vez más esta moda de llevar calzones..., ya sean las señoras, las criadas o las prostitutas, todas los llevan. Me parece que obstaculizan ese agradable y fortuito roce de culo y coño».

La obsesiva curiosidad del autor por las mujeres, sus cuerpos y funciones corporales, que comenzó durante su juventud, en la década de 1820, mientras estaba rodeado de criadas —una de ellas, riendo, «me puso la mano por fuera de los pantalones, le dio un suave pellizco a mi polla y me besó»—, prosiguió a lo largo de toda su vida y lo llevó a escribir: «Algunos hombres, y yo me cuento entre ellos, son insaciables, y podrían pasarse un mes mirando un coño sin apartar los ojos».

El profesor Marcus añade: «Otra de las formas que toma este impulso es el deseo de ver a otras personas copulando; y, a tal fin, en los últimos años de su edad madura se toma innumerables molestias y gasta considerables cantidades de dinero. Su principal obsesión visual, sin embargo, es la necesidad de ver, mirar, inspeccionar, examinar y contemplar...». Tal como lo expresa el propio autor: «Un hombre nunca se cansa de ver la naturaleza humana».

Aunque a veces el autor intentaba restringir sus atenciones a una sola mujer —comenzando por su esposa, por ejemplo, cuando tenía veintiséis años—, sus esfuerzos quedaban invariablemente socavados cuando veía a una nueva fémina. Su esposa era más rica que él, y conforme aumentaba esa dependencia económica, ella se iba volviendo cada vez más crítica con su marido: «Se mostraba hostil a mi sonrisa, me miraba desdeñosa al pasar, se lamentaba por mi futuro..., en la cama era odiosa conmigo. Mucho tiempo me esforcé por cumplir con mis deberes, por ser fiel, y sin embargo mi aversión llegó al extremo de que cuando yacía a su lado, prefería tener poluciones nocturnas cada noche antes que aliviarme dentro de ella».

Cinco años después de la muerte de su mujer, cuando él probablemente apenas habría cumplido los cuarenta, sus memorias sugieren que tomó otra esposa y aspiró a permanecerle fiel. «Durante quince meses me he contentado con una mujer. La he amado con devoción. Moriría por hacerla feliz... He follado en casa con furia y repetición, para que no me quedara esperma que endureciera mi polla cuando estuviese fuera de casa; de hecho, la he follado tanto que el médico me advirtió que era malo tanto para ella como para mí.» Pero más adelante, con resignación, concluía: «No ha servido de nada. El deseo de cambiar parece invencible... Me asalta constantemente, me deprime, y debo ceder».

Aunque su relaciones maritales no dieron hijos, el profesor Marcus, tras leer los once volúmenes de memorias, llegó a la conclusión de que el autor «dejó embarazadas a mujeres diversas: criadas, damas respetables con las que tuvo relaciones, cortesanas a las que mantuvo durante una breve temporada. Algunas de estas tuvieron hijos, la mayoría abortaron, cosa que al parecer resultaba bastante fácil en la Inglaterra de la época (aunque no nos informa de ello en detalle)».

Marcus también aporta citas del autor de *Mi vida secreta* que me parecen aplicables a mi actual tema de interés: Gerald Foos.

«¿Por qué —se preguntaba el autor— resulta abominable que cualquiera observe a un hombre y una mujer mientras follan, cuando todo hombre, mujer y niño lo haría si tuviera oportunidad? ¿Acaso la copulación es algo tan indecoroso? Y si no lo es, ¿por qué resulta tan vergonzoso contemplar cómo se hace?».

Puesto que me disponía a cenar con Gerald Foos, decidí mencionarle el libro del profesor Marcus y conseguirle un ejemplar, si es que no lo había leído. Me pareció que sería interesante ver cómo reaccionaba Foos, en el siglo XX, ante un libro que nos mostraba a un voyeur del siglo XIX. También esperaba que el manuscrito de Gerald Foos, cuando obtuviera (si lo obtenía) su permiso para utilizarlo, fuese una especie de secuela de *Mi vida secreta*.

Tres

En el asador Black Angus, después de pedir una margarita y un solomillo, Foos me prometió que me mandaría una fotocopia de su manuscrito, aunque insistió en que yo debía ser paciente. Para preservar su intimidad, tendría que fotocopiar él solo sus centenares de páginas fuera del motel, quizá en la biblioteca pública; y puesto que tal vez se encontrara con limitaciones de tiempo e intimidad allí donde fuera, prefería hacerlo en pequeñas tandas, cada una de ellas de no más de quince o veinte páginas.

—Intentaré enviarle la primera parte en una semana —dijo—, pero a lo mejor tardo seis meses o más en poder mandarle todo el manuscrito. Y además, confío en que lo mantendrá dentro de la más estricta confidencialidad. En estas páginas hay cientos de historias secretas, y en cada una aparece el nombre y la dirección de los huéspedes, extraídos de los impresos de registro. Donna y yo llegamos a tener un trato más personal con algunos de esos huéspedes, los que se quedaban aquí durante varios días, y hablaban mucho con nosotros en recepción. A veces oíamos lo que decían de nosotros, los oíamos hablar en su dormitorio mientras escuchábamos en el desván. No todo era halagador.

Le pregunté a Gerald Foos si alguna vez se había sentido culpable por espiar a sus huéspedes. Aunque admitió que constantemente tenía miedo de que lo descubrieran, no estaba dispuesto a aceptar que sus actividades en el desván del motel perjudicaran a nadie. En primer lugar, señaló, se entregaba a su curiosidad dentro de los límites de su propiedad, y puesto que sus huéspedes no estaban al corriente de su voyeurismo, este no los afectaba.

—Visite cualquiera de estas antiguas mansiones coloniales y probablemente encontrará lugares donde escuchar y agujeros para observar a los demás. Contemplar a la gente es algo muy antiguo, pero si nadie se queja, no hay invasión de intimidad —y repitió lo que me había dicho antes—: Desde que soy propietario de este motel he observado a centenares de huéspedes, y ninguno de ellos se ha enterado.

Dijo que le había llevado varios meses practicar esos conductos de observación para que resultaran «perfectos e indetectables». Había utilizado la habitación 6 como laboratorio y a Donna como ayudante. Al principio se le ocurrió colocar espejos opacos en el techo, pero desechó la idea porque le pareció demasiado obvia y demasiado fácil de detectar. «Debo desarrollar un método cuya existencia no pueda ser descubierta nunca por los huéspedes —escribió—. Un huésped tiene derecho a su intimidad, y jamás ha de saber que ha sido invadida». Entonces se le ocurrió instalar falsos conductos de ventilación para satisfacer su apetito, pero primero tendría que contactar con un operario que le fabricara un modelo de lo que Foos tenía en mente —una rejilla de celosía de quince por treinta y cinco centímetros con una docena de listones—, y luego fabricar once réplicas más de este modelo sin que el operario se enterara del verdadero propósito de su trabajo ni participara en la instalación en el motel. Cuando se hubieran completado las rejillas, el propio Foos tendría que colocarlas, aunque Donna se ofreció a ayudarlo.

—No podía permitir que nadie más lo hiciera —dijo durante la cena.

Una de las tareas de Donna consistía en permanecer de pie sobre una silla o escalera en cada una de las doce habitaciones designadas, y sostener sobre la cabeza una rejilla de celosía mientras intentaba encajarla en la abertura rectangular de quince por treinta y cinco del techo que Foos había practicado utilizando una sierra eléctrica.

Al mismo tiempo, mientras él permanecía tendido boca abajo en el suelo del desván, extendía los brazos por la abertura y ayudaba a Donna a colocar la rejilla en su sitio y a continuación asegurarla con unos largos tornillos que penetraban el contrachapado de dos centímetros del suelo del desván. Dijo que todos los tornillos eran de cabeza plana, y que los extremos puntiagudos estaban bien clavados en el desván para que ningún huésped pudiera manipularlos desde abajo. Tres capas de moqueta peluda cubrían el suelo del desván, y los clavos que sujetaban la moqueta estaban cubiertos con unos remates de goma para amortiguar los crujidos que pudieran provocar las pisadas.

Las aberturas estaban colocadas cerca del pie de la cama. «La ventajosa ubicación del conducto —escribió— ofrecerá una excelente oportunidad de observar y también escuchar las discusiones de los sujetos. El conducto distará aproximadamente entre metro ochenta y dos metros y medio de los sujetos».

Después de instalar las doce rejillas de celosía en las habitaciones designadas, Foos le pidió a Donna que visitara cada una de ellas, se echara en la cama y levantara la vista hacia el conducto mientras él la observaba.

«¿Puedes verme?», gritaba él por el conducto de ventilación.

Si la respuesta era «Sí», él bajaba a la habitación y, subido en la escalera, utilizaba los alicates para intentar doblar los listones en un ángulo que ocultara su presencia en el desván y le permitiera ver con claridad el cuarto.

«Ese proceso de ensayo y error duró semanas —continuaba Foos—. Y resultó agotador. Yo tenía que subir y bajar constantemente de las habitaciones al desván, y me dolían las manos de tantos ajustes que tuve que hacer con los alicates, mientras Donna, que me ayudaba en el tiempo libre que le dejaba el hospital, estaba tan exhausta como yo. Pero nunca se quejaba. En esa época demostró un gran amor por mí. ¿Y por qué iba a ayudar una mujer a hacer algo así si no era por amor?».

Foos dijo que comenzó a observar a sus huéspedes durante el invierno de 1966, y que, aunque a menudo se excitaba, había ocasiones en que lo que veía era tan trivial que se quedaba dormido, y se pasaba horas sumido en un sueño apacible sobre la gruesa moqueta del desván hasta que Donna lo despertaba durante una de sus visitas periódicas, por lo general antes de marcharse al turno de noche en el hospital. A veces le llevaba algo para picar, fruta, o un refresco y un sándwich —«En este motel soy el único que dispone de servicio de habitaciones», me dijo con una sonrisa—; mientras que otras veces, aunque de manera breve e infrecuente, Donna aceptaba su invitación de tumbarse a su lado sobre la moqueta y observar, siempre que tuviera lugar algún interludio erótico especialmente interesante.

—Donna no era ninguna voyeur —dijo—, sino más bien la devota esposa de un voyeur. Y a diferencia de mí, ella se educó con una actitud libre y saludable con relación al sexo, lo que incluía que durante sus días libres tuviésemos sexo oral o coitos esporádicos en el desván. Era una extensión de nuestro dormitorio —añadió—. Un lugar donde podíamos estar solos cuando los niños vivían con nosotros. Las puertas del desván estaban siempre cerradas con llave, y solo teníamos llave nosotros. Algunas parejas instalaban en sus casas espejos en el techo, o veían porno duro en la cama, pero nuestra ventaja mientras hacíamos el amor tranquilamente en nuestro desván era la posibilidad de echar un vistazo a un espectáculo de sexo en vivo que tenía lugar unos dos metros más abajo.

Me contó que cuando Donna no estaba con él, si se excitaba mientras observaba a una pareja que mantenía relaciones sexuales, o bien se masturbaba (siempre tenía una toalla de mano cerca) o grababa en la memoria lo que veía y recordaba esas estimulantes imágenes al hacer el amor con Donna.

—Incluso a un matrimonio que mantiene unas relaciones sexuales satisfactorias no le viene mal un poco de picante —dijo.

Una vez salimos del restaurante Black Angus, a eso de las once de la noche, Foos siguió hablando mientras conducía de vuelta al motel. Mencionó que aquellos días se alojaba en el motel una pareja joven y muy atractiva, y que a lo mejor aquella noche les podíamos echar un vistazo. Eran de Chicago, y habían ido a Colorado a esquiar y a visitar a unos amigos de la zona de Denver. Había sido Donna quien los había recibido a su llegada, y los había registrado en la habitación 6. Foos dijo que siempre que Donna ocupaba el lugar de Viola en la recepción, cosa que solía hacer a primera hora de la tarde, antes de ir a trabajar, asignaba a los huéspedes más jóvenes y atractivos una de las «habitaciones con vistas» en deferencia hacia él. La número 6 era una de esas, mientras que las otras nueve, que no disponían de accesorios que le permitieran observarlas, se reservaban para familias o parejas mayores o de menor atractivo físico.

Foos también mencionó que él y Donna en la actualidad estaban construyendo un rancho de dos plantas con un garaje para cuatro coches dentro de los terrenos del club de campo de Aurora, en la avenida East Cedar. Se calificó de apasionado jugador de golf, casi siempre por debajo de los ochenta golpes, mientras que su hijo adolescente, Mark, era mucho mejor y tenía potencial para ser uno de los mejores jugadores universitarios.

Mientras nos acercábamos al motel, comencé a sentirme un tanto incómodo. Me fijé en que el cartel grande situado junto a la entrada de la avenida Colfax mostraba un aviso de «Completo».

—Eso es bueno para nosotros —Foos enfiló el coche hacia el camino de entrada al motel—. Significa que esta noche podemos cerrar con llave y nadie nos molestará de madrugada pidiendo habitación..., y en cuanto a los huéspedes, hay una campanilla y también un timbre en la recepción que pueden utilizar si necesitan algo.

El timbre poseía un mecanismo para emitir un sonido amortiguado en el desván, dijo, y así, a su propio criterio, podía regresar a la oficina de inmediato si era necesario. Bajaba por la escalera del cuarto de lavado, cruzaba el aparcamiento y llegaba a la recepción del edificio más pequeño en menos de tres minutos.

Tras haber aparcado el coche junto a la oficina, Viola, que se había encargado del turno de tarde, nos saludó en la puerta. Le entregó a Foos un fajo de cartas, recibos de tarjetas de crédito y unos cuantos mensajes telefónicos, y comenzó a informarle de asuntos rutinarios, entre ellos el horario de las camareras para el resto de la semana. Estuvieron hablando delante del mostrador durante varios minutos mientras yo permanecía sentado en un sofá del rincón. Detrás de mí había una pared cubierta de pósters enmarcados de las Montañas Rocosas y el centro de Denver, mapas de la ciudad y el estado, y un par de placas de la Asociación Automovilística Estadounidense que daban fe de la limpieza y comodidad del motel Manor House.

Finalmente, después de darle las buenas noches a su suegra, Foos apagó una de las luces de la recepción y, tras hacerme un gesto para que lo siguiera, cerró con llave la puerta principal. Cruzamos la zona de cemento. Nos deslizamos entre algunos coches aparcados y nos dirigimos hacia el cuarto de lavado, ubicado en el centro del edificio principal del motel.

Detrás de los ventanales de las veintiuna habitaciones de huéspedes, que quedaban a nivel de calle, las cortinas estaban corridas, y solo se veía luz tras cuatro o cinco de ellas. Me llegaba el sonido de la televisión de algunas habitaciones; conociendo las preferencias del anfitrión, supuse que no era muy bien recibido.

Con la ayuda de su llave maestra, abrió suavemente la puerta del lavadero, cuyas cuatro paredes estaban cubiertas de estanterías donde se apilaban mantas, toallas y ropa blanca, todo bien doblado; mientras en el suelo, junto a la lavadora y la secadora, se veían cajas que contenían pastillas de jabón, botes de detergente y limpiamuebles. Al fondo del cuarto, remachada en una pared, había una escalera de madera pintada de azul con diez peldaños paralelos redondeados.

Siguiendo sus instrucciones, y tras asentir a su advertencia de que nos mantuviéramos en silencio —cosa que me indicó llevándose el dedo a los labios—, subí la escalera detrás de él y me detuve un instante en el descansillo mientras él trepaba unos cuantos palmos más para abrir la puerta cerrada con llave que conducía al desván. Después de haberle seguido al interior, y de que hubiera cerrado la puerta a mi espalda, vi en la penumbra, a izquierda y derecha, unas vigas de madera inclinadas que sustentaban ambos lados del tejado a dos aguas del motel; y en mitad del estrecho suelo del desván, flanqueado por vigas horizontales, había una pasarela enmoquetada de más o menos un metro de ancho que recorría el edificio de punta a punta y pasaba por encima de los techos de las veintiuna habitaciones de los huéspedes.

Caminé por la pasarela, unos cuantos pasos por detrás de Foos, agachado para no golpearme la cabeza contra una de las vigas transversales, y me detuve cuando Foos señaló hacia abajo, en dirección a uno de los conductos de observación alojados en el suelo, a pocos palmos de nosotros, a la derecha de la pasarela. También se veía la luz de otros conductos que quedaban un poco más lejos, aunque en estos solo se podía oír el ruido de la televisión, mientras que el conducto que estaba más cerca de nosotros se hallaba casi en silencio, y solo se escuchaba el suave murmullo de voces humanas entre el vibrato de los muelles de la cama.

Observé lo que hacía Foos y lo imité: me puse de rodillas y comencé a arrastrarme hacia la zona iluminada cercana, y acto seguido estiré el cuello al máximo para poder ver tanto como fuera posible a través del conducto (al hacerlo nuestras cabezas casi chocaron). Al final, lo que vi fue a una atractiva pareja desnuda tumbada en la cama y practicando sexo oral.

Observé durante unos minutos, y entonces Foos levantó la cabeza del conducto y me sonrió al tiempo que alzaba los pulgares. Se me acercó un poco más y me susurró que esa era la pareja de Chicago de la que me había hablado en el coche mientras volvíamos del restaurante.

A pesar de que una insistente voz dentro de mí me decía que apartara la mirada, seguí observando cómo aquella mujer esbelta le practicaba una felación a su pareja, y me aproximé para ver más de cerca. No me fijé en que durante el movimiento mi corbata de seda de rayas rojas se había deslizado a través de los listones de la rejilla de celosía, y ahora colgaba en lo alto del dormitorio, a menos de dos metros de la cabeza de la mujer.

Solo advertí mi descuido cuando Gerald Foos se colocó detrás de mí y me agarró por el cuello para separarme del conducto, y a continuación, con la mano libre, apartó mi corbata de la rejilla de una manera tan veloz y silenciosa que la pareja que había abajo no vio nada, en parte porque la mujer nos daba la espalda y el hombre permanecía con los ojos cerrados, absorto en el placer.

Los ojos como platos que aparecieron en la cara de Gerald Foos reflejaron una considerable ansiedad e irritación, y aunque no dijo nada, me sentí reprendido y avergonzado. Si mi díscola corbata hubiera delatado su escondite, podrían haberle demandado y encarcelado, y la culpa habría sido totalmente mía. Lo que pensé acto seguido fue: ¿por qué me preocupa proteger a Gerald Foos? ¿Y qué estaba yo haciendo allí arriba, de todos modos? ¿Me había convertido en cómplice de su extraño y desagradable proyecto? Cuando me hizo una seña de que saliéramos del desván, obedecí de inmediato, siguiéndole escaleras abajo hacia el cuarto de lavado, y después hacia el aparcamiento.

—Tiene que quitarse esa corbata —dijo por fin, mientras me acompañaba a mi habitación.

Asentí y le di las buenas noches.

Cuatro

Al día siguiente, Foos se levantó poco después del amanecer para encargarse del turno de mañana en la oficina. Más tarde me telefoneó para preguntarme si me gustaría desayunar con él en recepción, y en su voz no había ni asomo de animosidad por lo ocurrido la noche previa. Cuando llegué nos estrechamos la mano, pero no hizo ningún comentario al ver que yo no llevaba corbata. Para mí, no llevar corbata es una concesión importante, porque, al ser hijo de un sastre orgulloso de su profesión, desde que iba a la escuela primaria me ha gustado vestir con traje y corbata, y el hecho de no llevarla me hacía sentirme privado de mis pretensiones de elegancia. Sin embargo, tras la metedura de pata de la noche anterior, me recordé que no estaba en mi territorio. No era más que un huésped que no pagaba en el motel de un voyeur.

—Puesto que en la oficina tenemos un poco de intimidad —dijo Foos—, me gustaría que le echara un rápido vistazo a mi manuscrito.

Introdujo la llave en el cajón inferior del escritorio y extrajo una caja de cartón que contenía un fajo de páginas manuscritas de diez centímetros de grosor. Las páginas, de fondo amarillo y rayas horizontales, habían sido arrancadas de cuadernos de veinte por treinta y tres centímetros, y aunque estaban escritas a un solo espacio, resultaban fáciles de leer gracias a la excelente letra de Foos. Me incliné sobre el escritorio para echar un vistazo al manuscrito, y en la cubierta vi el título: *Diario de un voyeur.*

—Ayer por la noche probablemente no se fijó —continuó Foos—, pero en el desván hay un lugar en el que escondo unas libretas de pequeño tamaño, lápices y dos linternas. Y cuando veo o escucho algo que me interesa, lo garabateo, y luego, cuando estoy solo en la oficina, amplío las notas. Por lo general recuerdo cosas que había olvidado anotar cuando estaba allí arriba. Como ya le he dicho, llevo trabajando casi quince años en este diario, y siempre y cuando nadie se entere de que lo he escrito, estaré encantado de que lo lea, y pronto le mandaré la primera parte.

—Gracias —dije, pero me pregunté: ¿por qué ha puesto todo esto por escrito? ¿No le basta a un voyeur con el placer y la sensación de poder que experimenta sin tener que anotarlo? ¿Es que los voyeurs a veces necesitan escapar de la soledad prolongada delatándose ante los demás (como había hecho Foos primero con su mujer y luego conmigo), y después buscan un público más amplio para revelarse como escribas anónimos de lo que han presenciado?

El profesor Marcus planteó preguntas parecidas en su análisis del caballero victoriano que escribió *Mi vida secreta*.

«Aunque el autor a menudo afirma que escribe solo para él y expresa dudas y vacilaciones a la hora de mostrar su obra a los demás (...), está claro que no hay que tomarse ninguna de esas declaraciones al pie de la letra», escribió Marcus. Y añadió: «De haber querido mantener en secreto su vida secreta no habría cogido la pluma». Sin embargo, el autor de *Mi vida secreta* podría haber tenido otras influencias.

«Una segunda razón que de vez en cuando arguye es que su obra es un grito en la oscuridad», escribió Marcus, y que «consciente de su aislamiento y su ignorancia de las ideas y comportamiento sexual de los demás, desea aprender de ellos y transmitir algo de sí mismo (...). Se pregunta si todos los hombres sienten y se comportan como él, y concluye: "Nunca podré saberlo; mis experiencias, si se imprimieran, podrían permitir que los demás compararan, cosa que yo no puedo hacer"».

A lo que el profesor Marcus añadió: «Hay que concederle cierta validez a esta afirmación, que nos recuerda que en el siglo XIX la novela cumplía exactamente esa función».

Durante el resto de mi visita a Aurora, acompañé a Foos a su observatorio del desván unas cuantas veces más. Mientras observaba a través de las rejillas, casi siempre veía a gente infeliz frente a la televisión, quejándose de achaques físicos de poca importancia, refiriéndose a su trabajo de manera desfavorable y lamentándose sin cesar por el dinero y por la falta de este, lo que suele comentar la gente cada día, estén casados o cohabiten de cualquier otro modo, pero que, fuera de su relación de pareja, nunca divulgan ni consideran demasiado. Para mí, sin las grandes expectativas de presenciar actividad erótica que siente el voyeur, aquello era un tedio interminable, lo que hace una pareja normal en un hotel cada día del año, durante toda la eternidad.

Cuando me marché de Denver de regreso a casa, creí que nunca volvería a ver al Voyeur, y desde luego no tenía la menor esperanza de escribir sobre él. Sabía que lo que estaba haciendo ese hombre era completamente ilegal (y también me preguntaba hasta qué punto había sido legal mi comportamiento al hacer lo mismo bajo su techo), e insistí en que no escribiría sobre él sin utilizar su nombre. Él sabía que eso era imposible. Los dos acordamos que era imposible. Así que regresé a Nueva York. Tenía un gran libro que promocionar.

Cinco

Una semana después de regresar a Nueva York, recibí las primeras diecinueve páginas del *Diario de un voyeur* de Gerald Foos, que comienza en 1966.

«Hoy se ha cumplido un sueño que ha ocupado sin descanso mi mente y todo mi ser. Hoy he comprado el motel Manor House, y ese sueño se ha consumado. Por fin podré satisfacer mi constante anhelo e incontrolable deseo de asomarme a las vidas de los demás. Mis impulsos de voyeur ahora se podrán llevar a cabo en un grado que nadie había contemplado hasta hoy. Mis contemporáneos tendrán que conformarse con soñar con lo que yo voy a realizar en el edificio del motel Manor House.»

No obstante, le costó varios meses y mucha frustración convertir su desván en una plataforma de observación. Cito del *Diario de un voyeur:*

> *18 de nov., 1966: El negocio ha ido muy bien y echo de menos poder observar a algunos huéspedes interesantes, pero la paciencia ha sido siempre mi lema, y debo llevar a cabo esta tarea con la máxima perfección y brillantez. Mañana la tienda donde me fabrican la rejilla de ventilación tendrá una terminada según mis especificaciones. Espero con gran expectativa poder comprobar si funciona de manera adecuada y se adapta a mis necesidades.*

> *19 de nov., 1966: ¡La rejilla no funciona! He practicado un agujero en el techo de la 6 y colocado la rejilla en el agujero, y a veces podía ver a mi esposa, Donna, desde el puesto de observación de arriba. Debo quitar la*

rejilla y colocar unos listones más pequeños recortados en la parte delantera y doblados en un ángulo estratégicamente calculado para que desvíen la luz.

20 de nov., 1966: La tienda que fabrica las lamas metálicas cree que estoy construyendo una especie de conducto especial para desviar el calor. ¡¡Ja!! Estos simplones que trabajan cuarenta horas a la semana serían incapaces de averiguar lo que estoy haciendo aunque se lo contara. Reconstruir el conducto me está costando un dineral, pero he de conseguirlo a toda costa.

21 de nov., 1966: Estos idiotas que trabajan en la ferretería son más tontos que el asa de un cubo. Su pensamiento no va más allá de los cigarrillos o la cerveza. «Esta rejilla nunca acaba de funcionar bien», dicen. Si les dijera para qué va a servir, probablemente no lo comprenderían.

22 de nov., 1966: He instalado la rejilla en la número 6, y tras diversos fallos en la fabricación, esta funciona perfectamente y por fin hay un cuarto que puede utilizarse como laboratorio para mi observación personal. Mi mujer, Donna, ha observado a través del conducto de arriba y yo no he podido verla desde abajo, por más que acercara la cara a la rejilla. También la hemos probado de noche, con las luces encendidas y apagadas, y no he podido verla. Es maravilloso que por fin haya desarrollado el método más apropiado para observar a los huéspedes que ocupan la habitación sin que estos se den cuenta (...). Dispondré del mejor laboratorio del mundo para observar a los demás en su estado natural, y así podré determinar por mí mismo qué ocurre exactamente tras la puerta cerrada de un dormitorio, qué comportamientos y actividades tienen lugar.

23 de nov., 1966: ¡El trabajo es agotador! Ahora estoy construyendo una pasarela de más o menos un metro de ancho en el centro del desván del motel Manor House (...). La enmoquetaremos para que sea más fácil caminar e ir a gatas. Además, ensancharemos la pasarela en cada conducto para que puedan observar dos personas al mismo tiempo, y eso también permitirá que los observadores puedan hablar en voz baja y de manera reservada.

24 de nov., 1966: El laboratorio de observación se ha completado y está a punto para acoger a una amplia variedad de huéspedes. Mis expectativas casi se han cumplido, y mis tendencias voyeurísticas y mi incontenible interés por la conducta de personas distintas están a punto de satisfacerse y materializarse.

Y ese mismo día:

Sujeto 1

Descripción: Varón blanco de unos 35 años, en Denver por negocios. 1,75, 80 kilos, trabajador administrativo, probablemente universitario. Su esposa: 35 años, 1,60, 60 kilos, entrada en carnes pero atractiva, pelo oscuro, origen italiano, culta, 90-70-90.

Actividad: Yo mismo me encargué de alquilarle a esta pareja la habitación 10 a las siete de la tarde. Se registró él y observé que era un hombre con clase y que sería perfecto para otorgarle la distinción de ser el número 1. Después de registrarle, de inmediato me dirigí a la pasarela de observación (...). Fue impresionante ver a mis primeros sujetos entrar en la habitación para la observación inicial. Los sujetos aparecieron ante mí con más claridad de lo que había previsto y fue estupendo. Tuve una sensación de tremendo poder y euforia ante ese logro. Había conseguido lo que otros hombres solo habían soñado, y no hacía más que pensar en mi superioridad e inteligencia. Un hombre solo dispone de una vida, y con inflexible determinación y dedicación estaba logrando mi sueño.

Al asomarme a la rejilla desde mi plataforma de observación pude ver todo el cuarto, y me alegró comprobar que también se veía el baño: el lavamanos, el inodoro y la bañera. La visión era excelente, más de lo que había pensado. Vista desde el interior de la habitación, la rejilla de quince por treinta y cinco estaba pintada del mismo color que el techo. Los huéspedes probablemente imaginarían que era un conducto de ventilación o un extractor de aire. Parece perfectamente natural en el entorno para el que fue creada.

Podía ver a los sujetos debajo de mí, y sin duda eran una pareja perfecta para ser los primeros en actuar en el escenario que había sido creado especialmente para ellos, y para otros que los seguirían, y yo sería su público. Después de ir al cuarto de baño y cerrar la puerta, la mujer se sentó delante del espejo mirándose el pelo y observó que se le estaba volviendo gris. El hombre tenía ganas de discutir y no parecía muy contento con lo que había venido a hacer a Denver. La velada pasó sin más incidentes hasta las ocho y media de la tarde, cuando ella por fin se desvistió y reveló un cuerpo hermoso, un poco entrado en carnes, pero sexualmente atractivo. Cuando se echó al lado de su marido, este no pareció muy interesado, y se puso a fumar un cigarrillo tras otro y a mirar la televisión (...). Por fin, tras besarla y acariciarla, rápidamente tuvo una erección y la penetró poniéndose encima, con pocos o ningún preámbulo, y tuvo un orgasmo más o menos a los cinco minutos. Ella no tuvo ningún orgasmo y de inmediato se fue al cuarto de baño a limpiarse el semen. Apagaron la luz y el televisor y se acostaron sin más comentario ni conversación.

Conclusión: No son una pareja feliz. Él está demasiado preocupado por su situación laboral y no tiene tiempo para ella. No sabe nada del comportamiento sexual ni de los preámbulos a pesar de su educación universitaria.

No ha sido un comienzo muy distinguido para mi laboratorio de observación (...). Estoy seguro de que las cosas mejorarán.

Las cosas no mejoraron para Gerald Foos con la segunda pareja, a la que no dedica mucho espacio.

25 de nov., 1966
Sujeto 2
Descripción: Varón negro de aproximadamente 30 años, empleo desconocido, 1,80, 80 kilos. Acompañante femenina, 30 años, 1,65, 55 kilos, empleo desconocido.
Actividad: La habitación 4 se alquiló a este varón y a esta hembra negros a la una de la tarde. Entraron en la habitación y se pusieron a comentar que llevan tiempo intentando sacarle dinero a un amigo de él, hasta ahora sin éxito. Toda la conversación giró en torno al dinero, que a él le llegaba de unas fuentes o conseguía de otras (...). El hombre había comprado una pinta de bourbon barato, que mezclaron con agua y se bebieron. Durante los quince minutos siguientes rodaron sobre la cama e intentaron quitarse la ropa. En todo este tiempo no conversaron. Cuando se hubieron desvestido, él tiró de la sábana, la colcha y la manta hasta que ambos quedaron completamente tapados hasta la nariz. La penetró enseguida, y tras acometerla durante varios minutos, la cubierta le resbaló por las nalgas, pero él se detuvo y volvió a taparse hasta la cabeza. Tenía que permanecer tapado. Tras el orgasmo, ni siquiera se limpiaron. Ella no fue al cuarto de baño y él comenzó a hablar de dinero otra vez. Se vistieron y se fueron enseguida, a las tres de la tarde.

26 de nov., 1966.
Sujeto 3
Descripción: Varón blanco de unos 50 años, 1,70, 65 kilos, culto, arreglado y bien vestido. La mujer, de aproxi-

madamente 50 años, 1,60, 60 kilos, arreglada y bien vestida, culta, pelo negro entrecano, origen alemán. Visitan a su hijo y a su nuera en la zona de Aurora aprovechando el Día de Acción de Gracias.

Actividad: La habitación 12 se alquiló a esta excepcional pareja de aspecto un poco mayor por un periodo de tres días. Observé a esta pareja en varias ocasiones diferentes, tras registrarse a las cuatro de la tarde, y se dedicaron a prepararse para conocer a la mujer de su hijo, a la que, por su conversación, al parecer no aprobaban. Regresaron a medianoche, y todavía estaban enfadados por todo lo referente a su nuera, y a continuación comentaron y consideraron la idea de no decirle a su hijo lo que pensaban. Él opinó que la mujer de su hijo probablemente era «buena en la cama», y que solo por eso se había casado con ella. [La mujer] se quitó la ropa, se desabrochó el sujetador haciéndolo girar para quitárselo por la parte de delante. Se descalzó y roció el interior de los zapatos con una especie de desodorante. Se preparó un baño, se lavó el pelo en el lavamanos. Tras envolverse la cabeza con una toalla se metió en la bañera y se lavó, arrodillándose para frotarse la zona vaginal. Tras el baño, pasó una hora arreglándose el pelo con rulos y acicalándose delante del espejo. ¡Y es una mujer de cincuenta años! Solo hay que imaginar la cantidad de horas que ha perdido en su vida. Cuando acabó, su marido dormía y aquella noche no hubo sexo...

A la mañana siguiente, a las nueve, observé cómo ella le practicaba sexo oral hasta el final, y el esperma le corría por las mejillas. Ella alcanzó un orgasmo completo sin ayuda de él.

Los observé durante los dos días siguientes, y disfrutaron de una combinación de coito y sexo oral en otra ocasión.

Conclusión: Una pareja mayor de clase media alta, culta, que disfruta de una tremenda vida sexual.

Seis

Entre el Día de Acción de Gracias y las vacaciones de Navidad de 1966, Gerald Foos pasó el tiempo suficiente en su desván para observar cómo cuarenta y seis de sus huéspedes participaban en algún tipo de actividad sexual, a veces en solitario, a veces con una pareja y, en una ocasión, con dos acompañantes.

A pesar de sus muchos años como voyeur *freelance* antes de comprar el motel, Foos nunca había visto un trío en acción, por lo que, al caer la tarde del 15 de diciembre, no vaticinó que fuese a ocurrir nada fuera de lo normal cuando dos hombres elegantemente ataviados y una mujer se acercaron a la recepción y solicitaron una sola habitación para pasar la noche.

—La caldera de casa se ha estropeado, y mi mujer se está congelando —explicó por iniciativa propia el hombre más robusto, un sujeto pelirrojo de hombros anchos y treinta y pocos años que llevaba una americana *sport* de ante color tabaco sobre un suéter marrón de cuello cisne. La mujer sonrió mientras el hombre más joven permanecía detrás de la pareja sin decir nada.

Después de que el pelirrojo hubiera firmado el registro y anotado su nombre y el de su mujer, ignorando a su acompañante, el instinto de Foos le instó a decir algo, pero se resistió cuando la mujer solicitó que le recomendara algún restaurante cercano. Foos supuso que los tres irían a cenar y que solo la pareja regresaría a pasar la noche. Tras entregarles la llave de la habitación 9, Foos observó cómo se daban la vuelta y se dirigían al edificio principal, cada uno de ellos con una bolsa de viaje. Al comprobar el impreso de registro, advirtió que el pelirrojo había anotado como su domicilio el nombre y emplazamiento de una tienda de aspiradores situada en el centro de Denver.

Puesto que aún no había terminado el turno de Viola, Foos se excusó rápidamente y se dirigió al desván, dispuesto a colocarse encima de la habitación 9 y anotar en un cuaderno lo que viese.

Era una pareja muy educada y muy organizada con un acompañante masculino. El marido se quitó la ropa de inmediato, excepto los calzoncillos. La mujer se desvistió, y también el acompañante masculino, que reveló un gran pene, de al menos veinte o veinticinco centímetros. El marido estaba interesado en sacar fotos de la mujer mientras ella chupaba el gran pene y lo tenía en la mano.

Pasaron a practicar el coito en diferentes posiciones mientras el marido seguía sacando fotos y también comenzaba a masturbarse durante el acto. La mujer se puso encima y el marido consiguió colocarse bastante cerca del pene que entraba y salía, y exclamó: «Tienes una polla grande y hermosa y me encanta verla entrar y salir». Ahora el marido estaba más inmerso en la masturbación, y alcanzó el orgasmo al mismo tiempo que su mujer y su compañero. A continuación el marido dijo: «Mantenla ahí, y no retires la polla hasta que tenga la cámara preparada». Sacó varias fotos del pene del acompañante aún inserto dentro de la vagina de su mujer, con el semen resbalando. Durante un rato los tres permanecieron inmóviles en la cama, relajados, comentando ventas de aspiradores. El acompañante al parecer trabaja como vendedor a domicilio de la empresa de aspiradores que regentan marido y mujer. Luego, los tres se vistieron y se marcharon.

Y así es como he visto mi primer episodio de «un trío», que le permite al marido satisfacer su impulso de voyeur. Me imagino perfectamente a mí mismo en el papel del marido, y sin duda me gustaría explorar las posi-

bilidades de que algo así ocurriera en mi vida. Me gustaría participar de verdad, y me desagrada tener que asumir, por el momento, el papel de observador. Por cierto, ese era el pene más grande que he visto hasta hoy.

A la tarde siguiente llegaron al motel Manor House dos mujeres jóvenes de Vallejo, California, ambas maestras de escuela que asistían a un seminario en Denver. Las recibió Gerald Foos. Tras asignarles la habitación 5, que tenía dos camas dobles, les proporcionó mapas de la zona y folletos turísticos, y luego las acompañó a su habitación del edificio principal mientras les llevaba el equipaje. Antes de cerrar la puerta y entregarles las llaves, les aseguró que estaba a su disposición para lo que necesitaran, y tras darles las buenas noches se encaminó al cuarto de lavado y subió la escalera que conducía a su plataforma de observación y a su libreta.

Eran dos jóvenes muy atractivas, una de ellas una rubia pechugona de más o menos 1,75 y 55 kilos, y la otra una morena de 1,60 y 50 kilos. Al cabo de un rato se quitaron la ropa y la rubia le dio un masaje a la otra, lo que poco a poco condujo a que hicieran el amor de una manera muy distinta a lo que veo cuando las mujeres están con hombres. Con las mujeres las acciones físicas son más recíprocas. Técnicamente, lo que las mujeres hacen entre ellas es lo que hacen hombre y mujer: se tocan, se besan y se acarician, solo que no hay pene. Todavía no he observado a ninguna lesbiana que utilice un consolador. Creo que el consolador es una gran fantasía porno masculina.

La rubia ahora está besando a la otra, y también la toca ligeramente con la lengua y las manos por todo el cuerpo, sobre todo las nalgas y el bajo vientre. La rubia le está estimulando el clítoris con los dedos, y ahora utiliza la boca y la lengua. Esto continuó un rato con dulzura, con emoción, sin prisas, y a veces aleteaba la lengua en el clítoris o con la boca chupaba con fuerza, y al final el dedo índice de la mano derecha se colocó justo encima de su clítoris y comenzó un movimiento veloz arriba y abajo que la hizo llegar al orgasmo. Y justo después del orgasmo, la rubia llevó la boca a la vagina de la morena y movió la cabeza rápidamente de lado a lado, lo que le produjo a la morena un orgasmo aún más intenso.

Tras un periodo de relajada charla, la mujer más bajita, la morena, comenzó a acariciar los pechos de la rubia y a explorar la zona de los pezones, y dijo: «Me encanta chuparte los pechos, y me encanta el sabor salado del sudor en ellos».

«¿Están salados?», preguntó la otra. «Sí», dijo la morena. «Los tuyos no —dijo la rubia—, pero supongo que yo me excito más que tú».

Se pasaron entre tres y cinco horas acariciándose, tocándose, haciéndose arrumacos, abrazándose, besándose con los labios, besándose con toda la boca, estimulándose el clítoris, tanto de manera manual como oral, y manteniendo una conversación íntima antes, durante y después del sexo.

Conclusión: No deja de impresionarme lo cariñosas y amorosas que son las relaciones que veo por lo general entre lesbianas. Su comprensión, compasión y complacencia excede con mucho la relación entre hombres y mujeres. El sexo no es solo sexo, tanto da que sean hetero u homosexuales. Tiene más que ver con la manera en que se educa a los hombres en relación con su cuerpo, el tacto y la sensualidad, en comparación con la manera en que las mujeres aprenden a hacerlo. Lo de estas mujeres se podría resumir con la expresión «hacer el amor con» en lugar de «hacer el amor a». Por desgracia, la mayoría de hombres que he observado se preocupan más por su propio placer que por el de las mujeres. Hay mucho menos amor emocional que amor físico. Las lesbianas, por el contrario, son mejores amantes entre sí; saben lo que quiere su compañera, y casi siempre existe una proximidad emocional que un hombre nunca puede alcanzar. Más ternura, más consideración y comprensión de los sentimientos del otro, etcétera.

No existe un solo procedimiento habitual, y, lo más importante, por lo general la estimulación del clítoris con el dedo o el cunnilingus *producen un orgasmo garantizado en algún momento. Las mujeres parecen poseer un nivel de energía más sostenido después del orgasmo. Y la cosa no se acaba necesariamente de manera automática porque alguien tenga un orgasmo. Esos dos sujetos parecen llevar una vida feliz y satisfactoria; sin embargo, algunas de las conversaciones que he escuchado indican que en su ciudad se sienten un tanto incómodas con sus compañeras de trabajo, y sienten cierta aprensión o miedo a causa de su actividad como maestras.*

Las dos maestras fueron las únicas amantes lesbianas que se alojaron en el Manor House durante las últimas semanas de 1966, y el trío de la empresa de aspiradores representó el primer ejemplo de sexo en grupo en el motel registrado por Foos, que en su relato lo describió como «rarito». Al cabo de unos años, sin embargo, cuando el sexo en grupo se volvió más popular y la revolución sexual recibió amplia cobertura en los medios de comunicación, el tener más de un compañero de cama ya no se consideraba anormal o «rarito». Aquello planteó una cuestión económica en el motel de Foos: ¿debería cobrarles a los tríos o cuartetos más de lo que les cobraba a las parejas?

De hecho, solo se cobraba un extra a los huéspedes que llevaban animales domésticos, pero ese aumento —una tarifa de 15 dólares al día por llevar a su mascota— se reembolsaba el día de la partida, siempre y cuando las mascotas no hubieran causado daño alguno en el interior de la habitación o no le hubieran dado trabajo extra a la camarera. No obstante, Gerald Foos saludaba con limitado entusiasmo a los huéspedes con perro, sobre todo cuando una pareja de mediana edad que venía de pasar sus vacaciones en Atlanta llegó con un sabueso grande y lleno de energía al extremo de una correa.

En circunstancias normales, Foos habría asignado a esa pareja presentable pero anodina un cuarto sin conducto de observación, pues en ninguno de los dos había nada que despertara su curiosidad sexual; pero la naturaleza prudente de Foos le hizo ver al perro de manera distinta. Había que vigilarlo, decidió, y después de que la pareja hubiera aceptado pagar el suplemento por mascota, recibieron la llave de la habitación 4.

Posteriormente, en el desván, después de pasarse una hora observando cómo dormía el perro entre las discusiones de sus amos, Foos escribió en el *Diario de un voyeur:*

> *Durante la observación de esta noche, he visto repetirse con esta gente la misma desagradable pauta.*
>
> *En primer lugar, el desacuerdo sobre cuánto dinero han gastado en las vacaciones; ¡y cuánto les queda!*
>
> *Después riñen un rato por lo mucho que pierden el tiempo, y porque no van a ver los lugares de interés, ¡y lo único que hacen cuando van de vacaciones es ver la tele! Luego la mujer se queja de la habitación y de por qué tienen que alojarse en este estercolero, en lugar de en algún hotel para turistas más grande. ¡Me enfurezco muchísimo cuando alguien califica mi motel de estercolero! No es de primera, pero está limpio, y tiene huéspedes de todas las clases y condiciones sociales. Lo único que ella pretende es iniciar una disputa con su marido, pero es un individuo pasivo y muestra poca o ninguna emoción ante sus insultos. Ella le acusa de no haber llegado a nada como asistente social, y le dice que nunca tendrá suficiente dinero para complacerla mientras siga con «ese estúpido trabajo».*
>
> *Poco después, observo que el sabueso husmea detrás de la gran butaca que hay en la habitación y procede a hacer sus necesidades, y en abundancia, detrás de la butaca.*

Los sujetos observan las consecuencias de la actividad de su perro y se esfuerzan por eliminar los excrementos de la moqueta. La mujer dice: «El encargado nunca se enterará de que el perro ha hecho sus necesidades detrás de la butaca, porque esta lo tapa, y además, lo hemos limpiado tan bien que nunca lo verá —a lo que añade—: En el último motel en el que estuvimos nunca descubrieron que lo había hecho en la moqueta».

Tras este episodio se van a la cama, y lo único que consiguen es discutir de manera interminable entre los anuncios de la tele. A la mañana siguiente, a las diez, bajan a recepción para recuperar el depósito pagado por su mascota. En ese momento, les pido que me acompañen a la habitación y paso a inspeccionarla. Aparto la gran butaca del rincón y señalo la zona de la moqueta donde ayer por la noche vi aliviarse a su perro.

«¿Ven esa mancha?», digo. «¡No!», me contestan. E insisto: «Su perro ha manchado la moqueta aquí, y tendré que limpiarla entera porque han permitido que su perro ensuciara la habitación». Se quedan estupefactos, pero no se oponen a la idea de que el motel no devuelva el depósito. Antes de que se marchen, subo a la plataforma de observación para escuchar sus críticas. Se han puesto a discutir cómo es posible que yo supiera el lugar exacto donde su perro se había aliviado.

No se lo podían creer, y han especulado con que a lo mejor poseo un extraordinario sentido del olfato. O quizá estoy dotado de percepción extrasensorial. «Sus ojos deben de ser capaces de ver lo que nosotros no vemos», han asumido. «A lo mejor —ha dicho el marido—, de algún modo consigue ver a través de la ventana, y pudo divisar al perro cuando ensuciaba la moqueta». La mujer ha dicho: «No es más que un maldito idiota que probablemente al final se queda con todos los depósitos, y que ha tenido suerte al señalar ese lugar en concreto de la moqueta». Tras esa afirmación se han ido del motel, y solo el Voyeur ha sabido cuál era la auténtica explicación de los hechos, y de su interior ha brotado una breve risita.

Conclusión: Mis observaciones indican que la mayoría de la gente que va de vacaciones se pasa el día amargada. Discuten por dinero; por qué visitar; dónde comer; dónde alojarse; todas sus agresiones aumentan de manera inconmensurable, y es el momento en que descubren que no están hechos el uno para el otro. Las mujeres, sobre todo, lo pasan mal a la hora de tener que adaptarse a su nuevo entorno y a su marido. Las vacaciones sacan a la luz todas las angustias del ser humano y perpetúan las peores emociones. Casi todas las parejas parecen contentas cuando están en la recepción del hotel, pagando por otro día adicional o escogiendo folletos o información.

Durante sus apariciones en público es imposible determinar que su vida privada es un infierno de desdicha. Reflexioné acerca de por qué la gente se ve obligada a guardar ese secreto, a no permitir que nadie sepa que su vida es infeliz y deplorable. Es la «condición humana», y estoy seguro de que eso explica que si la desgracia de la humanidad se revelara de manera espontánea y simultánea, quizá la consecuencia sería un genocidio en masa.

Siete

A poca distancia a pie del motel Manor House se alzaba el gran complejo de edificios que constituía el Centro Médico del Ejército Fitzsimons, donde en 1955 el presidente Dwight D. Eisenhower pasó siete semanas recuperándose de un ataque al corazón. Durante los años sesenta y setenta fue la residencia temporal de centenares de veteranos heridos de la guerra de Vietnam. Gerald Foos solo estaba moderadamente en contra de la guerra cuando construyó su plataforma de observación en 1966, pero conforme proseguía el conflicto quedó profundamente afectado porque a menudo veía por sí mismo lo doloroso y humillante que les resultaba a los soldados tullidos tener relaciones sexuales, o al menos intentarlo, con sus novias o esposas cada vez que alquilaban una habitación en su motel durante un día o más. En el *Diario de un voyeur,* el 15 de junio de 1970, escribió:

> *Le he asignado la habitación 4 a un soldado, un varón blanco de veintipocos años y confinado en una silla de ruedas, pues ha perdido la pierna derecha en Vietnam. Lo acompañaba su esposa, también de veintipocos años, 1,60 más o menos, delgada y muy guapa. Ella ha venido desde Michigan para visitarlo, y a él le han dejado salir unos días del Fitzsimons. Han alquilado la habitación por cinco días.*
>
> *Durante la observación inicial vi que el sujeto masculino todavía estaba muy afectado y angustiado por la pérdida de su pierna derecha, por debajo de la rodilla, y que le cuesta mucho adaptarse a la pierna artificial.*

Cuando el sujeto se la ha quitado, el muñón estaba completamente en carne viva, irritado y abierto, y le causaba un gran dolor e incomodidad (...).

El sujeto no ha ahorrado detalles a la hora de exponer que el ejército y la sociedad se habían olvidado de hombres como él, que la guerra de Vietnam era un terrible desperdicio de hombres y material. Su esposa ha coincidido con él, y ha dicho: «¿Por qué no te fuiste a Canadá como hizo Mike?».

Él ha dicho: «No te quepa duda de que me habría ido a Canadá de haber sabido de antemano que el ejército iba a mentir y a tergiversar los hechos, pero estaba demasiado apegado a mi pueblo, mi familia y mi país y perdí la perspectiva de lo que en verdad importa».

Esa misma noche el Voyeur los observó desde su rejilla mientras intentaban hacer el amor. Ella abrió dos botellas de Coca-Cola y le entregó una a él, y a continuación se sentó en la silla de cara a su marido, levantó un poco las piernas y se subió la minifalda, lo que le permitió al Voyeur contemplar sus muslos delgados y esculturales. No llevaba bragas (...).

El sujeto masculino sonrió con cierta lascivia, y levantando su vaso para brindar, dijo: «¡Por lo que hace girar el mundo!».

«¿El sexo...?», sonrió ella.

«¡No! ¡El dinero! Lo único por lo que la gente haría cualquier cosa. ¿Por qué te crees que estamos en Vietnam? Por el maldito dinero.»

La abrazó con fuerza y sus labios buscaron los de ella, y fueron los labios húmedos y rosados de la chica los que se pegaron a la boca de él, escudriñadores, y las manos de él comenzaron a explorar los suaves contornos del cuerpo de la mujer. El hombre ahuecó la mano sobre el maleable montículo de un pecho pequeño y bien formado a través de la suave tela del vestido, lo amasó con delicadeza, y las reacciones normales y naturales empezaron a materializarse.

El sujeto masculino pasó la mano por el plano vientre de la mujer, a continuación recorrió la tersa blancura de un muslo bien torneado, y después la introdujo debajo del breve vestido, dejando que la mano masajeara y acariciara los vellones rizados de su pubis (...). El Voyeur pudo ver los espasmos eróticos del cuerpo de la mujer y las suaves ondulaciones de sus lomos bajo la manipulación de los dedos del hombre. Él le quitó el minivestido para revelar las curvas del cuerpo femenino, menudo y blando. Ella tenía las piernas separadas de una manera obscena, lo que hizo las delicias del Voyeur que observaba (...). Rápidamente, el sujeto masculino se quitó la ropa y solo se dejó los calzoncillos, que le cubrían en parte, pues en su interior la tremenda erección los tensaba (...). De manera frenética, el sujeto masculino flexionó la pelvis entre los muslos de la mujer, sacó el pene por la pernera de los calzoncillos, y en una poderosa y fluida acometida, embistió la profundidad de la vagina, que lo abrazó (...).

Varias acometidas más tarde, el sujeto masculino tuvo un orgasmo. Con un gruñido, se desplomó sobre ella (...). La mujer no alcanzó el orgasmo, y sin duda se sintió infeliz por aquella situación perturbadora. Él rodó hasta quedar de lado, y rápidamente se levantó de la cama sobre una pierna. Dijo: «Espero que te acuerdes de cuando tenía las dos piernas en buen estado» (...).

A lo largo de los cinco días siguientes, el Voyeur observó a esa pareja de manera periódica. Ellos no se resignaban ni adaptaban a la pérdida de la pierna por parte del sujeto masculino. Era algo que obstaculizaba sus relaciones, y creo que su mujer nunca aceptará esta discapacidad, lo que con el tiempo conducirá al divorcio.

Unos años más tarde, otro veterano de guerra herido —esta vez un parapléjico— fue al motel con su esposa. Foos observó cómo su mujer intentaba ayudar al marido a salir de la silla de ruedas y meterse en la cama.

Pero él dijo en tono brusco: «Me las puedo arreglar. No necesito que nadie me ayude». Se quitó los zapatos y los pantalones y dijo: «Toma, puedes vaciarme la bolsa». Al parecer no era capaz de controlar la vejiga y tenía que llevar un catéter. La mujer desenganchó el tubo conectado a su pene y vació la bolsa en el retrete. A continuación, volvió a colocarle la bolsa.

La mujer se desvistió y (...) colocó los pechos delante de la cara de él para que los observara, a lo que él reaccionó besándolos y chupándolos suavemente. Ella dijo: «Voy a darme una ducha». Durante la ducha, el hombre permaneció inmóvil y vio la tele. Cuando la mujer acabó de ducharse, se reclinó en la cama a su lado, muy cerca de él, le acarició y le besó.

Él dijo: «¿Por qué sigues amándome ahora que estoy en este estado?». Ella le dijo: «Porque sigues siendo la persona con quien me casé, y recuerdo nuestros votos, en la salud y en la enfermedad».

Él la besó profundamente y dijo: «De no haber sido por ti, no creo que hubiera sobrevivido».

La mujer pasó a desengancharle el catéter y lo masturbó hasta que tuvo una erección.

Colocó la cabeza sobre su abdomen y comenzó a lamerle y chuparle a conciencia, metiéndoselo todo en la boca. Estuvo así durante casi una hora, y él sin duda pareció capaz de percibir algo, porque exhibió la expresión facial del placer sexual, sacando la lengua y pasándosela por los labios. Ella se le puso encima y alcanzó el orgasmo al mismo tiempo que él...

Conclusión: Debido a la proximidad del hospital militar Fitzsimons, he tenido ocasión de observar muchas de las deplorables y lamentables tragedias de la guerra de Vietnam. Este sujeto tuvo suerte. Tiene una mujer cariñosa y comprensiva.

Probablemente sobrevivirá, pero ¿qué será de los otros centenares de heridos que no tienen una mujer como esa?

Observar a estos sujetos tristes y desventurados es una tarea muy difícil y desagradable, y en consecuencia, todo lo que queda es una sensación de pesar y compasión. No hay nada más perturbador que oír cómo un sujeto confiesa que ha sido traicionado por su país.

Ocho

La intención del caballero victoriano de *Mi vida secreta* era escribir, como él mismo explicaba, «sin tener en cuenta lo que el mundo llama decoro», y, mientras hurgaba en sus recuerdos, tuvo lo que el profesor Marcus denominó «una experiencia a lo Leopold Bloom: pasa un tiempo espiando a mujeres mientras defecan y orinan».

Tras haber leído las primeras tres o cuatro partes del *Diario de un voyeur* de Foos —continuó enviándome entregas del diario durante todo el invierno y la primavera de 1980—, pareció que, al igual que el caballero victoriano, Foos sentía un gran interés en invadir el dominio más privado de la actividad diaria, el cuarto de baño, e informar de lo que allí ocurría.

> *Donna registró a una atractiva joven de Lemon, Colorado, que dijo que su marido asistía a una reunión de la Reserva del Ejército que se celebraba en la ciudad, y que necesitarían alojamiento para esa noche. Se le asignó la habitación 6.*
>
> *A eso de las cuatro de la tarde, después de que Donna se fuera, me dirigí a la torre de vigilancia para observar la actividad de esa mujer.*
>
> *Al entrar en la habitación, de inmediato encendió el televisor y se fue al cuarto de baño para orinar de forma muy sonora. Era de las que se colocaban a mujeriegas; en otras palabras, se sentaba en el retrete de lado, o de manera oblicua, en contraste con los que se sientan mirando al frente.*
>
> *Los individuos varían por cómo se sientan en el retrete. Algunos apoyan la espalda contra la tapa. Otros se inclinan*

hacia delante. Algunos se inclinan tanto hacia delante que he visto al menos a un individuo caer de morros mientras hacía de vientre. El caso más extraño fue un sujeto que se sentaba de cara a la tapa, a horcajadas sobre el inodoro. De ese modo podía apoyar los brazos sobre la cisterna. He observado que algunos individuos no se sientan sobre la taza, sino que simplemente se quedan acuclillados, posiblemente para no coger ningún germen. He observado todas las posturas o acercamientos al retrete imaginables.

Tras salir del cuarto de baño, el sujeto femenino se ha desvestido y revelado un hermoso cuerpo a los complacidos ojos del obsesivo Voyeur. Durante la hora y media siguiente, esta joven se ha acicalado, adornado, arreglado y peinado a conciencia, de una manera tan meticulosa que nunca parecía quedar satisfecha. Se ha pasado un rato larguísimo quitándose y volviéndose a poner unos pendientes, y luego ha observado con admiración o censura su imagen en el espejo.

De repente sonreía, y acto seguido parecía disgustada con su aspecto.

Al fin, ha aparecido su marido en la habitación del motel, una vez finalizada su reunión de la Reserva del Ejército. Se han abrazado, y tras comentar un rato la reunión, ella se ha enfadado por el hecho de que no se hubiera fijado en sus nuevos pendientes ni en que se había agujereado los lóbulos. Durante ese desagradable momento, él la ha acusado de gastar el dinero de manera innecesaria agujereándose los lóbulos y comprándose los pendientes. Ella se ha enfadado y le ha explicado que esa era una de las razones por las que lo había acompañado a Denver, para agujerearse los lóbulos y comprarse los pendientes. Al poco han salido a cenar, y a su regreso parecían haber rectificado su anterior desacuerdo. Han encendido el televisor y ella se ha desvestido rápidamente mientras él se iba al cuarto de baño. Se ha bajado las tiras del sujetador haciéndolas resbalar por los hombros, y a continuación se ha puesto por la cabeza un camisón largo y grueso y se ha sacado el sujetador por debajo. Se ha metido en la cama y se ha tapado hasta la barbilla.

Él ha regresado y apagado las luces y el televisor, pero ha dejado la puerta del cuarto de baño entreabierta, con la luz encendida. Esto me ha permitido la oportunidad de registrar al menos alguna observación de esa infeliz pareja. Tras penetrarla sin ningún preámbulo ni suficiente lubricación, el hombre ha iniciado el acto sexual con vigorosas acometidas y se ha tapado hasta el cuello para que nadie pudiera ver sus movimientos. Ella ha comenzado a quejarse de que le estaba haciendo daño, pero él ha dicho: «Siempre dices que te duele», y ha seguido empujando hasta que ha tenido un orgasmo aproximadamente a los cinco minutos. Ella no ha obtenido ninguna satisfacción. No ha tardado en comenzar a quejarse otra vez de que él ni se fijaba en sus pendientes ni los aprobaba.

Conclusión: Esta es la vida real. ¡Esta es la gente real! Me disgusta muchísimo ser el único que debe soportar la carga de mis observaciones. Estos sujetos nunca encontrarán la felicidad, y el divorcio es inevitable. Él no tiene ni idea de sexo ni de su aplicación. Lo único que sabe hacer es penetrar y empujar hasta llegar al orgasmo bajo las mantas con las luces apagadas.

Mi voyeurismo ha contribuido enormemente a convertirme en un pesimista, y detesto este condicionamiento de mi alma. Lo que resulta tan desagradable es que la mayoría de los sujetos están en sintonía con esos individuos en sus planteamientos. Si nuestra sociedad tuviera la oportunidad de ser voyeur por un día, abordaría la vida de manera muy distinta a como lo hace ahora.

Nueve

Cuando Gerald Foos reflexionaba sobre su «carga» en cuanto que voyeur comprometido, alguien que pasaba incontables horas en soledad, vinculado primordialmente al mundo que existía debajo de los agujeros del techo, se veía a sí mismo como una figura atrapada. No ejercía ningún control sobre lo que veía ni podía huir de su influencia. Su estado de ánimo variaba de un día para otro, de una hora para otra, dependiendo de sus huéspedes.

Ya se sintiera emocionalmente conmovido al ver a un veterano de guerra paralizado buscando el placer sexual, o repelido mientras contemplaba a la mujer que se sentaba con las piernas juntas en la cama al lado de un marido aburrido, las palabras de Foos en su diario expresaban cada vez más un sentimiento de insatisfacción con su prolongado gandulear en el desván.

Mientras yo seguía leyendo fragmentos de su obra que iban desde finales de los sesenta a mediados de los setenta, mi impresión era que se iba distanciando de sí mismo, pasando de un narrador en primera persona a un personaje acerca del que escribía en tercera persona. A veces utilizaba la palabra «yo», otras se refería a sí mismo como «el Voyeur y Gerald», y otras simplemente como «el Voyeur».

> *Observar cómo el sol se pone sobre las Montañas Rocosas es una especie de ritual para el Voyeur y Gerald. El sol se hunde lentamente tras el horizonte y envuelve las montañas en un velo de naranja y rojo.*
>
> *Cada atardecer señala una nueva noche de observación, siempre y cuando los huéspedes de las habitaciones lo*

permitan. Las noches del Voyeur en la plataforma de observación empiezan bastante bien, pero no pasa mucho tiempo antes de que frunza el ceño ante la inactividad que se ve en las habitaciones (...). Después de una noche de muchas observaciones, el Voyeur descendía de la plataforma y contemplaba romper el alba. Comía con mucha sencillez, y cuando estaba agotado se sentaba y escribía en su diario, anotando lo ocurrido. El Voyeur pensaba en el excelente olor del aire matinal, llevaba a cabo solitarias excursiones por el pasillo exterior del motel, al que daban los compartimentos o habitaciones que corrían a lo largo del estrecho corredor, para llevar a cabo su misión de determinar si había luz o no en los cuartos que acababa de observar. Siempre estaba al tanto de lo que ocurría en su motel y en las habitaciones que albergaban a los huéspedes observables, y se detenía con la esperanza de divisar cómo algún huésped salía de una habitación que hubiera observado durante la noche, y mantener quizá una breve charla...

Y a veces creía que podía comunicarse por telepatía con sus huéspedes desde el desván.

Por ejemplo, esta noche en concreto el sujeto femenino estaba reclinado en la cama, el televisor apagado, y reinaba un gran silencio en la habitación que había debajo de la rejilla. Estaba claro que ella era de origen escandinavo, tenía el pelo rubio ceniza, los ojos azul pálido y la piel clara y con pecas. Su figura era suave y flexible, tierna y llena de deseo. El pelo lacio le llegaba justo por debajo de los hombros, y en la frente lo llevaba cortado en un flequillo. La boca era carnosa y de un vivo color rosa chicle. El mismo tono de rosa era evidente bajo el canesú de su vaporoso camisón de seda, que se alzaba puntiagudo sobre sus pechos grandes y levemente caídos (...).

Bajó la mano derecha de los pechos a la vagina y comenzó a frotarse el clítoris, al parecer inmersa en el éxtasis que le recorría el cuerpo, y el olor viscoso de la fragante humedad vaginal se hizo más intenso, más poderoso para el olfato del Voyeur, que observaba a menos de dos metros de distancia.

Su agitación desapareció cuando se reclinó en la cama y comenzó a leer un libro. Como había sido un día intrascendente y tedioso en el laboratorio de observación, el Voyeur decidió realizar un experimento utilizando al sujeto femenino. El Voyeur había llevado a cabo el mismo experimento en los dos últimos años, y había alcanzado cierto éxito explotando a sujetos receptivos e inteligentes.

El Voyeur comenzó a concentrarse en los ojos del sujeto femenino para intentar transferirle un pensamiento. El pensamiento que el Voyeur intentaba transferirle era que levantara la mirada del libro y la dirigiera hacia la rejilla. Tras varios frustrantes minutos de concentración, el sujeto femenino por fin levantó los ojos y miró la rejilla de observación. ¿Se trataba de un movimiento voluntario, o de veras el Voyeur se lo había comunicado utilizando las ondas cerebrales? En otras ocasiones, el Voyeur había alentado a un sujeto femenino a levantar la mirada hacia la rejilla. Este sujeto femenino en concreto estaba claramente definido por una extraordinaria percepción. Pero tras concentrarse durante un rato, al parecer ella comenzó a sentirse incómoda con ese fenómeno desconocido que se imponía a su intelecto, y se dirigió al cuarto de baño y cerró la puerta. El experimento terminó cuando ella regresó a la habitación, apagó la luz y se durmió.

Conclusión: Si el sujeto es una mujer, y acaba de masturbarse, dispones de una magnífica oportunidad de conseguir que reaccione. Se debe a que su nivel de concentración se ha ampliado. Los sujetos femeninos parecen responder progresivamente mejor al Voyeur que los masculinos. Quizá es debido al hecho de que al Voyeur le interesan sobre todo las mujeres, y experimenta un nivel de pensamiento más intenso al aplicarlo sobre ellas (...). El Voyeur conti-

nuará con estos experimentos y en el futuro anotará en su diario cualquier descubrimiento importante.

A menudo Foos pasaba horas tenso e irritado al contemplar a gente que veía la televisión, sobre todo en el caso de parejas atractivas que, en lugar de mantener relaciones sexuales, se pasaban el rato discutiendo qué ver en la tele, mientras los hombres mantenían el control del mando a distancia y las mujeres, enfurruñadas, se enterraban bajo las mantas.

Nos hemos convertido en un país de fanáticos de la televisión, y dependientes de ese medio para que satisfaga todas nuestras necesidades emocionales. Pocas son las ocasiones en que el televisor no está encendido.

Igualmente ofensivos le resultaban los fumadores empedernidos, cuyas toxinas subían por la rejilla y él acababa inhalando; y también había huéspedes que llevaban comida rápida a la habitación y luego se limpiaban las manos grasientas con la ropa de cama. Mientras permanecía apostado en el desván observando el comportamiento privado de casi trescientos huéspedes al año, solo en una ocasión perdió la concentración como observador silencioso y se puso a hablarle por la rejilla a la persona que había abajo.

El Voyeur pasó por la rejilla número 6 y vio que su irritante sujeto comía pollo del Kentucky Fried Chicken mientras estaba sentado en la cama. Se había registrado ese mismo día y al parecer tenía unas horas libres entre dos citas. El sujeto masculino era limpio, a primera vista de una inteligencia media, pero estaba claro que su manera de comer era desordenada y sucia. En el restaurante de comida rápida le habían entregado algunas servilletas, pues se veían sobre la cama, pero no las utilizaba. Lo que hacía era frotarse las manos con la colcha, que luego resultaría difícil de limpiar.

El Voyeur prosiguió con su inspección ocular de ese sujeto masculino que expresaba un absoluto desprecio por las pertenencias del motel, ¡y que luego también comenzó a limpiarse la barba y la boca con la colcha!

En ese momento, el Voyeur estaba frenético, y olvidando por un instante la precariedad de su posición sobre la rejilla de la plataforma, gritó furioso: «¡Eres un hijo de puta!».

El Voyeur de inmediato se dijo: «Dios mío, ¿me ha oído?».

El sujeto dejó de comer y recorrió la habitación con la mirada, y a continuación se fue a la ventana y miró hacia la calle. Al parecer sabía que alguien había gritado «Hijo de puta», pero era incapaz de determinar de qué dirección procedía el insulto. Se acercó a la ventana y miró por segunda vez y se pasó unos minutos evaluando la situación, para al final proseguir con su manera de comer más propia de un animal.

El Voyeur se quedó aliviado, y en el futuro se prometió controlar mejor sus emociones.

Diez

Pero Foos volvió a perder el control otra vez, y aunque de nuevo le sacó de quicio la manera de comer de sus huéspedes, en esta ocasión la causa fue la frustración de su deseo voyeurístico.

> *Donna ha registrado en la 4 a una pareja que ha venido a comprar ganado. Eran de Roundup, Montana, y la mujer era una rubia encantadora y delgada de unos 25 años, mientras que el marido era un poco mayor, apuesto con un estilo tosco, más o menos de 1,80 y 85 kilos. Se registraron a eso de las cinco y media de la tarde, y como ya oscurecía subí a mi laboratorio de observación para mirar.*
>
> *Se habían traído unas hamburguesas de McDonald's, y se pusieron a comer nada más entrar. De inmediato me fijé en que ella era muy hermosa, y tenía una figura fantástica. Llevaba botas, vaqueros y una camisa texana ajustada, y no había duda de que entraba en la categoría de copa talla D.*
>
> *Pero mientras observo comer a esta joven pareja, es evidente que no tienen modales. Comen lo más deprisa que pueden, y sobre el regazo les caen migas y trozos de comida, que con la mano tiran al suelo. Los jóvenes no utilizan servilletas, al menos la mayoría; simplemente se limpian las manos en los vaqueros o en las sábanas.*
>
> *Bueno, de todos modos quizá consiga ver algo de sexo.*
>
> *Ninguno de los dos era muy comunicativo, y él se tumbó en la cama y se pasó casi toda la velada viendo la tele. Ella escribió una carta, se fue al cuarto de baño, cerró la puerta y permaneció allí casi una hora.*

Cuando salió, él dijo en un tono grosero: «Has estado tanto tiempo ahí dentro que apuesto a que se te ha formado un aro en el culo». Esto es lo primero que ha dicho en toda la velada, el clásico comentario de cowboy. No hay duda de que ella ha quedado avergonzada por el comentario de ese idiota vulgar y primitivo.

Él ha seguido viendo una reposición de La ley del revólver *y ella se ha vuelto a ir al cuarto de baño. Al regresar llevaba un camisón y un albornoz encima.*

¡Dios mío, no tendré oportunidad de observar esos magníficos pechos! Hay veces en que resulta difícil ser un voyeur, sobre todo cuando tu deseo de observar no queda satisfecho. Ella se sienta en la silla y él fuma y ve la tele, y no hay ni una palabra de comunicación entre ellos. Lo que estoy observando aquí es exactamente lo que ocurre en las relaciones de casi el noventa por ciento de las parejas.

Mucho más tarde él se ha desvestido y los dos se han ido a la cama. Ahora tiene ganas de sexo, pero ella no, sobre todo después de que antes la insultara. Cuando se ha quitado las botas, ha llegado a la rejilla un olor que no era agradable. Debería haberse dado una ducha si quería acercarse a ella, pero no. Tras acariciarla por debajo del camisón y el albornoz, estaba consiguiendo excitarla.

Creo que al final lograré observar esos pechos, pero no, ¡él de inmediato sale de la cama y apaga las luces y el televisor!

Ahora estoy completamente furioso e indignado con ese hijo de puta y me entran ganas de matarlo. Vuelve a la cama y comienza a hacer el amor en el ambiente en el que se siente más cómodo: a saber, en la oscuridad.

No pienso aguantarlo de ninguna manera. Regreso a la planta baja y me meto en el coche, y a continuación lo pongo en marcha y lo sitúo justo enfrente de la 4, lo aparco y lo dejo delante con las luces encendidas enfocadas hacia su ventana.

Cuando regreso a la plataforma de observación, él se ha levantado y mira a través de las cortinas, quejándose de que «algún hijo de puta se ha dejado los faros encendidos».

A fin de rematar su procedimiento amatorio, se apacigua metiéndose bajo las mantas para eliminar la luz. Finalmente la desviste, porque veo que las manos de ella aparecen por un lado de la cama y dejan caer el albornoz y el camisón. La habitación está muy bien iluminada, y bajo las mantas el hombre comienza a empujar como un animal. Acaba en tres minutos, y de inmediato se retira y se dirige al cuarto de baño.

Por fin consigo ver el cuerpo de la mujer cuando se destapa para limpiarse el semen con mi colcha. Tiene unas proporciones hermosísimas, pero probablemente es igual de estúpida y necia que él.

El hombre sale del cuarto de baño y advierte que los faros continúan encendidos. Dice: «Me pregunto qué pasa con ese coche con los faros encendidos».

Maldito cabrón, nunca sabrá lo que me pasa, pero yo estoy bien informado de lo desgraciadas que son las circunstancias de su vida.

Conclusión: Todavía soy incapaz de determinar cuál es mi función (...). Al parecer, se me ha delegado la responsabilidad de llevar esta pesada carga... ¡sin poder decírselo nunca a nadie! Si la vanidad o el destino me designan esta posición en la vida, entonces me veré empequeñecido de manera apreciable por este injusto compromiso. Crece mi depresión, pero no dejo de investigar. A veces he cavilado que quizá no existo, que solo represento un producto de los sueños del sujeto. De todos modos, nadie creería lo que he conseguido como voyeur, y por tanto la manifestación onírica explicaría mi realidad.

Definitivamente existe una correlación entre los sujetos que quieren las luces apagadas durante la actividad sexual y su perfil. Por lo general se trata de sujetos de zonas rurales; gente inculta; minorías; sujetos más viejos; sujetos de influencia sureña: todos estos suelen tener relaciones sexuales a oscuras. Tras observar a muchos de estos individuos, casi puedo adivinar de inmediato cuál apagará las luces y cuál no. Es difícil de explicar, pero he anotado minuciosamente un año entero de sujetos que apagan la luz y de aquellos que la dejan encendida durante la actividad sexual. El noventa por ciento de los que apagan la luz quedan dentro de la categoría que acabo de describir.

Once

Las limitadas dimensiones de las habitaciones del motel y los periodos de tiempo relativamente breves entre las llegadas y salidas de sus huéspedes —una memorable Nochevieja alquiló la habitación 4 a cinco huéspedes distintos «de casquete rápido»— significaban que por lo general el Voyeur no sabía nada de cómo discurría la mayor parte de la vida de sus sujetos; pero a veces, si los huéspedes que habían atraído su especial interés también residían en el área de Denver, aprovechaba la circunstancia y visitaba furtivamente sus casas.

Una de las mujeres a las que siguió era de mediana edad, con un poco de sobrepeso, frisaba los cincuenta, y una tarde había tenido relaciones sexuales en el motel Manor House con un caballero bien vestido y atractivo de treinta y pocos.

> *A partir de la detallada conversación que mantuvieron los sujetos, descubrí que se habían conocido en un baile de la APSP (Asociación de Padres Sin Pareja).*
>
> *En el motel, tras preparar y servir un cóctel para los dos, el sujeto femenino dejó caer la falda al suelo y rápidamente se quitó el suéter. A continuación dijo: «Desvísteme. Quítame el sujetador y las bragas».*
>
> *El sujeto masculino agarró el cierre del sujetador, y en un visto y no visto este desapareció, y entonces se balancearon los rotundos pechos del sujeto femenino, y observé que el derecho era un tercio más grande que el izquierdo, y que los tenía un poco caídos.*
>
> *«¿Te gusta mi cuerpo, encanto?», preguntó ella.*

«Es fantástico —dijo él—. Estás estupenda».

El sujeto masculino no perdió el tiempo. Tras quitarle las bragas la llevó a la cama, y tras desvestirse él mismo, le acercó la boca a la vagina, y al poco ella gritaba de manera frenética: «Lámemelo, nene».

Entonces el sujeto masculino apartó la boca y los dedos y dijo: «Tengo problemas para pagar los plazos del coche».

Ella se apartó y alcanzó el bolso, que estaba sobre la mesita, y le entregó un billete de cien dólares (...).

Al cabo de quince minutos, el sujeto femenino tuvo un orgasmo, e hizo un esfuerzo para practicarle una felación al sujeto masculino, pero este dijo: «La verdad es que estoy cansado, pero necesito otros cincuenta para terminar de pagar mis facturas». Ella de nuevo cogió el bolso, le entregó el dinero y a continuación cubrió el pene completamente con la boca..., justo debajo de la rejilla del Voyeur en observación.

La mujer se tomó un gran interés en practicarle el sexo oral, y engulló todo su pene, extrayendo todo el semen que él fue capaz de producir.

El acto duró en total quince minutos, y luego él se fue en su coche. Quise saber más de ella, así que la seguí hasta un complejo para jubilados cerca del motel. Ella entró en una casa del complejo que hacía esquina y esperé unos minutos a que se pusiera cómoda. Me acerqué a la casa desde el lado a oscuras del garaje, y la ventana de atrás de la cocina tenía las cortinas abiertas. Me puse a observar y pude ver la sala de estar a través de la zona de la cocina, y comprobé que vivía sola con la única compañía de un perro. Se paseaba por la sala llorando. Le caían las lágrimas y parecía visiblemente alterada.

Me dirigí a la puerta principal y observé que en el buzón solo estaba su nombre, por lo que era la única persona que vivía allí. Recorrí la manzana y pregunté por ella en un apartamento adyacente, donde me contaron que su marido había muerto en Vietnam y que su hijo estaba fuera, en la universidad.

Conclusión: El descubrimiento del tremendo deseo sexual que expresan algunas mujeres de mediana edad durante estos encuentros supone una auténtica tragedia. No tienen parejas sexuales porque ya no son lo bastante atractivas para conseguir una pareja masculina, o porque son reservadas y vacilantes. Los gigolós, como aquel en concreto, prometen a las mujeres mayores placer sexual y compañía. Pero en el motel he visto a ese mismo gigoló con hombres mayores. Parece ser capaz de satisfacer a hombres y mujeres, y es bastante insólito que se adapte tan bien a ambas circunstancias.

Doce

Otro sujeto de interés para Gerald Foos era un médico de treinta y cinco años, miembro de una institución médica diferente de la de Donna; al parecer, el doctor no tenía ni idea de que su motel «de casquete rápido» preferido para sus interludios de mediodía era copropiedad de una enfermera. Gerald Foos ya lo había observado antes, y ya estaba predispuesto en su contra, aunque lo cierto es que el sentimiento instintivo de Foos hacia los médicos casi nunca era positivo.

> *Casi todos los médicos están rodeados de cierta mística, como si representaran la máxima jerarquía de la humanidad y todos los demás tuvieran que obedecer sus caprichos (...). En cualquier caso, le asigné a ese médico en concreto la habitación 9, y mientras lo observaba desde la plataforma, él entró solo en la habitación, bien vestido y muy tranquilo. De unos 35 años, medía casi 1,80 y pesaba unos 70 kilos, y tenía el pelo negro y lo llevaba muy corto. En el cuarto de baño se aflojó la corbata y se miró en el espejo, sintiéndose al parecer muy satisfecho consigo mismo. ¡Y entonces lo vi orinar en el lavamanos! ¡Sí, sin la menor duda estaba orinando en el lavamanos! ¿Por qué absurda razón hacía algo así? Y acto seguido se lavó las manos y el pene en el lavamanos con los pantalones bajados hasta las rodillas.*
>
> *Llamaron a la puerta.*
>
> *Se subió a toda prisa los pantalones, se dirigió a la puerta y dejó entrar a una encantadora joven que llevaba uniforme de enfermera. Era realmente hermosa. Es mu-*

cho más guapa que la última mujer que trajo al motel. La mujer lo abrazó, pero también era muy profesional en la conversación, y comentó novedades de la consulta y la situación de algunos pacientes.

Se quitó el uniforme, se dirigió al cuarto de baño y dejó la puerta abierta. Imaginaos qué absoluta sensación de libertad y naturalidad. A continuación regresó al dormitorio y se colocó justo debajo de la rejilla mientras él la besaba y extraía del sujetador un pecho grande y hermoso, y lo chupaba al tiempo que manipulaba suavemente el pezón.

Ella reaccionó bajando la cremallera de los pantalones de él y sacándole el pene. Se sentó en la cama, justo debajo de mí, con aquel pene que iba creciendo lentamente en la mano, y besó el prepucio rojo, casi violáceo, mientras él permanecía de pie delante de ella. El hombre se desvistió mientras ella seguía chupándole el pene, y luego cayó sobre la cama junto a ella y le desabrochó el sujetador, liberando aquellos dos magníficos pechos. Las areolas eran grandes y oscuras, e indicaban que probablemente tenía hijos.

Se colocaron en la posición del 69, con ella encima, y así continuó hasta que la mujer tuvo un orgasmo, y luego otro. Seguía chupándole el pene, y entonces él también se corrió, tras haber curvado los dedos de los pies y mientras le clavaba los de las manos en la espalda. Después de que ella hubiera chupado los últimos restos de fluido seminal de su pene, él dijo: «Dios mío, Darlene, me has dejado tarumba».

«Siempre me ha gustado tragarme el semen —dijo ella—. Siempre me ha encantado sentir que un pene se corre en mi boca».

Descansaron y aquella tarde tuvieron otros tres actos sexuales, una de las exhibiciones de sexo más increíbles y puras que he presenciado en años de observación.

Cuando se hubo marchado el médico, y mientras ella se daba una ducha, decidí seguirla. Esperé en mi coche, y luego fui tras ella después de que se metiera en su vehículo familiar y condujera durante quince minutos hasta llegar a una hermosa urbanización de clase media. Cuando giró para acceder al camino de entrada de una casa muy bonita, aminoré la velocidad y aparqué en la calle, desde donde la observé con los binoculares. Había triciclos en el césped y un columpio en el patio trasero. Pude ver a dos niños pequeños que corrían a recibirla mientras salía del coche.

Entraron y yo me quedé observando detrás de unos setos. Oscurecía. No tardó en llegar otro coche que aparcó junto al de ella. Salió un hombre con un traje de oficina. Probablemente su marido. Vi que ella lo recibía en la puerta con los brazos extendidos y lo besaba de lleno con los mismos labios que tan perfectamente habían albergado el pene de otro dos horas antes.

Conclusión: Por la carrera profesional de la mujer, su casa, sus hijos, y este hombre tan presentable, se diría que tenemos a la vista todos los ingredientes necesarios para un próspero matrimonio. A lo mejor él la desatiende. A lo mejor ella simplemente necesita parejas adicionales para satisfacer su exuberante naturaleza sexual. Debo seguir observando.

De los doscientos noventa y seis huéspedes sexualmente activos que Gerald Foos observó y sobre los que escribió en su informe anual de 1973, ciento noventa y cinco fueron blancos heterosexuales que por lo general preferían la postura del misionero, con menos frecuencia acompañada de sexo oral y masturbación. Pero fueran cuales fueran las posiciones y técnicas preferidas de esos individuos en la cama, el resultado global produjo un total de ciento ochenta y cuatro orgasmos masculinos y treinta y tres femeninos, una cifra que según Foos podría haber sido agrandada, debido al talento teatral de las mujeres a la hora de fingir el orgasmo para halagar a su pareja, o conseguir un alivio más rápido de su pareja, o un poco de ambas cosas.

Además de los ciento noventa y cinco blancos heterosexuales, los huéspedes restantes (de un cómputo total de doscientos noventa y seis) se dividían en el diario de Foos de la siguiente manera:

- Había veintiséis huéspedes heterosexuales negros sexualmente activos, y sus posiciones preferidas y proporciones orgásmicas eran parecidas a las de los blancos.
- Había diez huéspedes lesbianas blancas, y Gerald Foos había observado que todas se turnaban para practicarse el *cunnilingus*.
- Había siete varones homosexuales blancos que intercambiaban el sexo oral y anal.
- Había diez huéspedes que participaban en el sexo interracial y que también practicaban el coito y el sexo oral.
- Había quince huéspedes registrados (algunos solos, otros acompañados) cuyo comportamiento sexual, o comportamiento asexual, o comportamiento aberrante, o comportamiento indescriptible, quedaba clasificado dentro del *Diario de un voyeur* como parte de una mezcla miscelánea; y, como ejemplo, presentaba tres viñetas.

Viñeta n.º 1:

Desde la plataforma de observación he presenciado todas las actividades regulares generalmente asociadas con un revolcón sexual de una tarde. Él la besa y la acaricia justo debajo de mi posición en la rejilla. Tras abrazarse durante varios minutos, abren una botella de bourbon y se sirven una copa, que mezclan con 7Up. La conversación se limita a algo concerniente a una cena a la que asistieron la semana pasada en la Carretera de las Rocosas.

Tras esta conversación, ella se excusa, se va al cuarto de baño y cierra la puerta. De inmediato él coge la bebida de ella, se saca el pene de los pantalones y orina dentro.

Ella salió del cuarto de baño y él dijo: «Por nosotros», levantando el vaso, a lo que ella cogió su vaso y bebió. Él la observó con atención mientras ella bebía su copa mezclada con orina y dijo: «Este bourbon es realmente bueno, ¿verdad?».

Ella contestó: «Sí, lo es».

Él dijo: «¿Habías probado algún bourbon mejor?».

Ella dijo: «La verdad es que no».

De repente él pareció sexualmente muy excitado. Sin mediar palabra, se inclinó hacia ella y le dio un beso prolongado de lengua, muy húmedo, y ella separó los labios y le chupó la lengua (...).

Conclusión: El sujeto masculino exhibió una aberración que no había observado en el pasado. Al sujeto probablemente también le interesaría ver orinar a alguien, o que le orinaran encima, u orinar encima de alguien, si se le presentara la oportunidad.

Viñeta n.º 2:

Durante la tarde, el Voyeur registró en el motel a dos hombres muy bien vestidos de Florida y les asignó la habitación 9. El Voyeur no observó a los sujetos durante la noche por desinterés. Al día siguiente la camarera a la que le había asignado limpiar la número 9 entró en la oficina y me dijo: «Creo que esos dos hombres guardan una oveja dentro, porque he oído muchos "bee bee", y deberías comprobarlo».

El Voyeur se trasladó a la plataforma de observación y no tardó en ver al varón de más edad y más corpulento sentado en la cama mientras observaba al varón más joven, que comenzaba a ponerse un disfraz que se parecía al de una cabra con cuernos. El varón más joven se colocó el disfraz por la cabeza, a lo sacerdote, como si fuera una lona. El extravagante atavío era básicamente de color negro, y poseía una cola blanca de quizá tres palmos de longitud.

Cuando el varón más joven acabó de colocarse el extravagante disfraz, de inmediato saltó al suelo, quedó sobre las manos y las rodillas, y a cuatro patas empezó a arrastrarse y a corretear por el suelo del motel. Mientras llevaba a cabo este ostentoso espectáculo, vocalizaba y emitía sonidos parecidos a los balidos de una oveja o cabra lejana.

La aberración prosiguió hasta que hubo dado varias vueltas al suelo, momento en que el rollizo varón masculino pasó a perseguir al joven a cuatro patas.

«Eres maravilloso —dijo el varón rollizo—, no he conocido a ningún chico-oveja más hermoso».

A continuación, el hombre más rollizo levantó la larga cola blanca con las manos y, con el pene erecto, se adentró entre las nalgas del joven mientras este exclamaba: «Bee bee». Luego, el hombre mayor salió del joven y se colocó encima de él, abrazándolo delicadamente, y después, tras darle la vuelta, comenzó a chuparle el pene hasta el orgasmo (...).

Conclusión: Esta peculiaridad podría quizá clasificarse de perversión, pero no habría que condenarla, porque ambos individuos participaron de buen grado, y por tanto el Voyeur no se mostrará discriminatorio en su interpretación.

Viñeta n.º 3:

Registré a un apuesto varón en la habitación 6 y creí que quizá más adelante traería a una chica. Mientras observaba, metió una maleta en el cuarto, la abrió y la colocó sobre la cama. Al ver que contenía ropa de mujer, de inmediato pensé que probablemente era para una novia que lo visitaría luego.

Se quitó toda la ropa, y tras alinear las prendas de mujer sobre la cama, tomó cada una y la acarició con delicadeza, mirándolas con un gran aprecio. Pareció exteriorizar una gran sensación de placer y relajación mien-

tras contemplaba esas ropas del sexo opuesto, y se veía que disfrutaba de tocar la tela.

Tras vestirse meticulosamente con ese atuendo de mujer, quedó de lo más impresionado al verse en el espejo, y se sentó y comenzó a aplicarse una importante cantidad de maquillaje para completar su travestismo.

Tras pasearse por la habitación durante varios minutos, salió del cuarto con un destino desconocido para mí. No lo vi regresar, y es probable que se marchase del hotel aquella misma noche, a su vuelta.

Conclusión: Solo en dos o tres ocasiones he observado travestis o gente que se viste con ropa del sexo opuesto. Por tanto, lo considero una práctica poco común. Observé que ese varón se quitaba una alianza, y probablemente esté casado. Quería un lugar en el que hacer exhibición de su comportamiento, y escogió un motel en el que se sentiría seguro. El travestismo de este hombre le permitía expresar un lado amable, elegante y sensual de su naturaleza que la sociedad no le permite expresar como hombre.

Trece

Según el informe del Voyeur de 1974, que fue su octavo resumen anual de lo que veía y oía desde que comenzó a observar a la gente en su escondite del desván en 1966, hubo trescientos veintinueve huéspedes cuyas actividades sexuales creyó que merecían atención y descripción en su diario. Pero gran parte de lo que vio en 1974 se parecía a lo que había visto en 1973, y también en años anteriores, excepto dos categorías: el sexo oral entre huéspedes heterosexuales, que pasó del apenas doce por ciento a un cuarenta y cuatro por ciento, quizá provocado por el estreno de la película pornográfica *Garganta profunda* en el verano de 1972, y el sexo interracial.

Durante todo el año de 1973 solo había observado a cinco parejas interraciales que mantuvieran relaciones sexuales, mientras que en 1974 ese número ascendió a doce, más del doble; y volvió a doblarse entre 1975 y 1980, hasta una media de veinticinco parejas. Añadió: «La estadística más asombrosa es la casi completa participación en aventuras de sexo oral por parte de las parejas interraciales, que es prácticamente total para ambos miembros».

Lo que también fue señal de cambio, y comenzó a mediados de los setenta, fue la manera despreocupada en que las parejas interraciales se acercaban a la recepción para registrarse. El Voyeur comentó que una década antes, a mediados de los sesenta, una mujer blanca, por ejemplo, jamás habría acompañado a su amante negro mientras este se registraba. En general se quedaba en el coche, y se le unía posteriormente, cuando él ya tenía la llave y había ocupado la habitación.

Pero a mediados de los setenta esa reserva por parte de una mujer blanca o negra fue reemplazada por la imagen de parejas que se dirigían juntas a la recepción, cosa que el Voyeur consideró uno de los muchos ejemplos en los que su pequeño motel reflejaba las cambiantes tendencias sociales y una evolución de ciertas actitudes que se extendía por todo el país.

Y, desde una perspectiva estrictamente personal, el Voyeur reconocía que presenciar sexo interracial le resultaba en especial estimulante, y en una ocasión fue el origen de su «orgasmo más explosivo».

> *En la plataforma de observación, en esta tarde de otoño de 1976, el Voyeur se está masturbando mientras observa a una mujer blanca que casi se ahoga porque el pene negro que tiene en la boca es demasiado grande para que le quepa. Pero ella continúa practicándole una felación a su pareja, lamiéndole el pene por un lado y luego por otro, y de repente, cuando él empieza a correrse, se lo saca de la boca, y entonces observa cómo el esperma del negro sale disparado hacia arriba, alcanzando una distancia de tres o cuatro palmos hacia la rejilla de observación. Al mismo tiempo, en el desván, el Voyeur también está teniendo un orgasmo, a una con el negro. El Voyeur expele un primer y fuerte espasmo de esperma justo hacia el conducto, que empieza a gotear hacia abajo, en dirección al pie de la cama.*
>
> *La mujer, todavía agarrada al borde de la cama, ve rastros de esperma sobre la colcha. Entonces levanta la mirada y ve más esperma goteando de la rejilla, y le dice a su pareja: «Caramba, ¡tu corrida ha cruzado toda la cama y ha llegado al conducto de la calefacción!». La mujer se puso en pie sobre la cama y pasó un dedo por la rejilla, antes de llevárselo a la boca. «Sí —dijo—, sabe a tu leche».*
>
> *Y el Voyeur observó tranquilamente cómo ella procedía a probar su esperma.*

Como nota al pie de este incidente, el Voyeur se preguntaba en su diario: «¿Alguien se creerá que esto ocurrió de verdad?».

De no haber visto la plataforma de observación con mis propios ojos, me habría resultado difícil creerme toda la historia de Foos. De hecho, durante las décadas transcurridas desde que nos conocimos, en 1980, había observado diversas incoherencias en su relato: por ejemplo, las primeras entradas del *Diario de un voyeur* están fechadas en 1966, pero la escritura de compraventa del Manor House, que obtuve hace poco del Registro de la Propiedad del Condado de Arapahoe, demuestra que la compra tuvo lugar en 1969. Y hay otras fechas en sus notas y diarios que no acaban de cuadrar. No me cabe la menor duda de que Foos fue un voyeur épico, pero a veces era un narrador inexacto y poco fiable. No puedo responder de todos los detalles que incluye en su manuscrito.

Por pura necesidad, Foos existía de manera clandestina, y lo consiguió durante muchos años, un éxito que él considera digno de mención; y al mismo tiempo había creado un laboratorio único para el estudio del comportamiento humano secreto, por lo cual creía que se le debía atribuir algún mérito. Tal como él lo veía, no era un simple mirón morboso, sino más bien un investigador pionero cuyos esfuerzos podían equipararse a los de los renombrados sexólogos del Instituto Kinsey o del Instituto Masters & Johnson. Gran parte de la investigación y los datos de esos institutos se obtuvieron mientras se observaba a participantes voluntarios, mientras que los sujetos de Foos jamás supieron que estaban siendo observados, por lo que consideraba sus descubrimientos más representativos de un realismo inconsciente y sin adulterar.

No obstante, Gerald tampoco era tan solo un observador neutral. «A fin de descubrir qué hará un individuo si se le proporciona un adecuado estímulo sexual», el Voyeur colocó «parafernalia sexual y pornografía dura en las habitaciones».

> *El Voyeur compró cincuenta consoladores y varias revistas de pornografía dura como experimento. Escondería un consolador y una revista pornográfica en una habitación, generalmente en el cajón de la mesita de noche, y luego esperaría a que llegara un sujeto desprevenido y lo colocaría en esa habitación, fuera hombre o mujer, o una pareja, según el tipo de información que deseara del sujeto.*
>
> *Durante ese periodo de observación, ninguno de los individuos se quejó ni le devolvió al Voyeur la parafernalia sexual que había encontrado. El cincuenta por ciento de las mujeres utilizó el consolador o las revistas, y el otro cincuenta por ciento o bien hizo caso omiso o los descartó.*

Entre ese cincuenta por ciento que utilizó los materiales encontrados había una monja.

En su diario, Gerald escribió que su experimentación y observación poseía un propósito más elevado.

«La única manera que tiene nuestra sociedad de alcanzar una estabilidad sexual y una salud mental adecuada, requisitos indiscutibles para la madurez, consiste en saber la verdad de lo que hace la gente en la intimidad de sus dormitorios. Hemos de educar a la gente con la verdad, no adoctrinarla; enseñar hechos, no falacias; formular un código que acepte todas las prácticas sexuales, no que predique el ascetismo.»

Aunque es cierto que Donna conocía al dedillo sus actividades, y en ocasiones subía con él al desván como segundo testigo y pareja sexual, Foos sentía la necesidad de un reconocimiento más amplio. Lo admitía en sus escritos, que a mediados de los años setenta comenzaron a reflejar no solo lo que veía y sentía mientras observaba a los demás, sino también lo que veía y sentía con respecto a sí mismo, empezando por sus orígenes, cuando era un chaval que vivía en una granja y cuyo encaprichamiento por su hermosa tía Katheryn le había llevado a una vida de vóyeurismo.

En su relato escrito, describía cómo por las noches salía a hurtadillas de su dormitorio y recorría un camino de tierra para acuclillarse bajo la ventana iluminada con la expectativa de verla desnuda. Se describe en tercera persona, al igual que en gran parte de su diario:

> *El joven cruzó la noche en silencio, avanzó por la hierba y sorteó la alambrada (...), ella estaba con los postigos abiertos, sin sospechar nada, dejando que la brisa del noroeste envolviera el mobiliario de su dormitorio. El joven la observaba, ajeno al frío y a la lluvia de fuera, ajeno a la existencia, ajeno al tiempo. Mientras miraba a su tía, esta comenzó a moverse entre los objetos que coleccionaba, que eran pequeñas muñecas en miniatura y dedales encerrados en un receptáculo de madera colgado de la pared. Mi tía estaba desnuda mientras avanzaba con mucha cautela hacia sus colecciones y comenzaba a tocar los dedales con prudencia y discreción. Manipulaba los dedales y las muñecas en miniatura con cierta altivez, y se los acercaba a sus pechos desnudos en una especie de ritual sexual que el joven observador no podía comprender.*

El joven tampoco podía comprender por qué su tía Katheryn era tan distinta de su recatada madre y del resto de la familia, por qué no se cubría con una bata o un camisón mientras se paseaba por el dormitorio con los postigos abiertos. Pero no podría hacer preguntas al respecto, como tampoco explicar su propio comportamiento, pues se arriesgaba a un fuerte castigo si sus rondas nocturnas llegaban a oídos de su tía o de cualquier miembro de la familia que le viese de noche por casualidad cerca de la ventana de Katheryn.

Lo más cerca que estuvo de admitir el especial interés que sentía por ella fue el día en el que, antes de cumplir los diez años, le confesó a su madre que envidiaba la colección de dedales y muñecas de su tía y quería tener su propia colección. (Ya había robado uno de los dedales de su tía mientras ella estaba fuera en unas breves vacaciones, pero lo devolvió a tiempo para evitar una reprimenda.)

—No puedes coleccionar muñecas —le dijo su madre—, pero ¿qué me dices de coleccionar cromos de deportes? —y añadió—: Cuando vaya a Gambles Hardware, te compraré unos cuantos sobres.

Aquel fue el inicio de una afición a coleccionar cromos de deportes que le duró toda la vida, y cuando lo conocí, en 1980, a sus cuarenta y cinco años, después de quince en el motel Manor House, su colección había reunido decenas de miles de cromos. Pero su coleccionismo siempre estuvo relacionado con su atracción infantil por su tía Katheryn, tal como explicaba en sus notas.

> *El joven confundirá la sexualidad con el arte de acumular objetos (...); había una asociación directa entre el hecho de que su tía estuviera desnuda y [su] coleccionismo. Como aún faltaban días para su décimo cumpleaños, el joven prometió iniciar una rutina coleccionista casi de inmediato a fin de imitar los actos de su tía.*

Incluso antes de cumplir los diez años, la presencia de su tía le provocó signos precoces de fetichismo de los pies, que luego impuso a su novia del instituto, Barbara White, y que condujo a la ruptura de la pareja: «Mi tía venía por las mañanas a tomar café y ver a mi madre. Yo tendría unos seis años, estaba debajo de la mesa y miraba los pies de mi tía Katheryn. Llevaba unos zapatos de puntera abierta. Yo quería tocarle los dedos de los pies».

Además de coleccionar cromos —en años posteriores también coleccionaría sellos, monedas y armas de fuego antiguas—, sintió un interés infantil por las colas de rata almizclera.

Coleccionaba colas de rata almizclera para determinar cuál era la más larga o la más corta. Las podía conseguir en abundancia, pues mi padre era trampero y cazaba ratas almizcleras para complementar los ingresos familiares en los meses de invierno. Delegaba en mí la misión de alimentar a los cerdos con ratas almizcleras despellejadas, y así fue como me fijé en que el tamaño de su cola no era siempre el mismo. Al cabo de unas semanas me cansaba de una longitud y forma concretas, y luego, tras escoger el tipo de cola que más me gustaba, comenzaba de nuevo el proceso y guardaba las otras colas en una lata. Era algo que hacía sin ningún escrúpulo, y al final mis padres se quejaron del olor de mi cuarto y me prohibieron seguir coleccionando colas de rata almizclera. Comparado con eso, mi colección de cromos de deportes era algo razonable y respetable. Aunque entonces no acabara de entenderlo, estaba siguiendo un patrón asentado con el paso del tiempo, que era la forma natural, predecible y estéticamente correcta de acumular cualquier cosa que me interesara.

Mientras su hábito de masturbarse lo introdujo por primera vez en el placer físico, también le provocó una culpa tan grande que buscó orientación moral en un sacerdote. «Acudí a un sacerdote anciano y muy estricto para que me confesara, y le pregunté por esa cuestión. Para mi sorpresa dijo que no era ningún pecado. Dijo que probablemente todos los hombres y mujeres se masturbaban. No era liberal en sus creencias, pero se mostró comprensivo conmigo.»

Gerald también se quedó más tranquilo cuando un compañero de clase mayor que él le dijo que el acto de masturbarse no causaba ningún perjuicio físico, y también le dijo que no tenía que preocuparse si alguna vez eyaculaba una profusión de fluido seminal. «Ese compañero mayor que yo me confirmó que no pasaba nada, que no era nada malo, y que en cuanto pudiera expulsar nueve gotas grandes, sería un hombre. ¡Uau! Tras recibir ese consejo, seguí contando el volumen y las gotas, y por fin se materializaron.»

La madre de Gerald, Natalie, delante de su casa.

La tía Katheryn, la obsesión sexual de Gerald.

Gerald (a la izquierda), con su prima «Tootsie» y su hermano Jack.

Gerald en la playa de Waikiki en 1955.

Donna, la primera mujer de Gerald.

Gerald y sus padres delante del motel Manor House a finales de los años sesenta.

Arriba, postal de los años sesenta del motel Manor House, en el 12700 de la avenida East Colfax, Aurora, Colorado. Abajo, el motel Manor House en invierno. Su tejado a dos aguas permitió la creación de la «plataforma de observación» de Gerald.

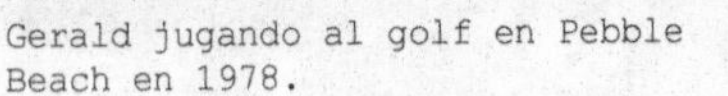

Gerald jugando al golf en Pebble Beach en 1978.

Gerald en la recepción del motel en la década de los setenta.

(26)

Total Sex Acts Observed for year 1966

Total # of Sex Act Observed	Hetero Sexual White	Heterosexual Black	Homosexual male	Lesbian Female	Single male or Female	Interracial Sex	Kinky or Perversion	Other Sex Acts
46	35	5	0	1	3	0	1	1

Type of Sex Act Performed

	# Oral Sex w/wo Intercourse	# Intercourse only	# Masturbation only	Resulting in male orgasm	Resulting in female Orgasm	No Sex
Hetero sexual White	5	29	1	35	7	
Hetero sexual Black	1	4	0	5	1	
Homosexual male	0					
Lesbian Female	1		1		1	
Single male	1		1	1		
Single Female	2		2		2	
Interracial Sex	0					

Una página del *Diario de un voyeur*, en la que se compilan los actos sexuales observados y registrados durante 1966.

Gerald en 1982.

Catorce

Gerald fue el primero de los dos hijos que engendraron Natalie y Jake Foos. Gerald era cinco años mayor que su hermano, Jack, y aunque tuvieron una educación similar, asistieron a los mismos colegios y guardaban un parecido físico —pelo negro, ojos oscuros, tez pálida, huesos grandes, altos—, su diferencia de edad y personalidad contribuyó a que nunca acabaran de conocerse muy bien. No hubo rivalidades entre ellos, pero tampoco vínculos fraternales. En la escuela nunca fueron compañeros de clase, compañeros de equipo, ni confidentes. Discretamente, cada uno siguió su propio camino. Era como si cada uno fuese hijo único.

Gerald era por naturaleza un «solitario», tal como reconocía en sus escritos. Cuando no estaba ocupado con sus tareas en la granja, espiando a su tía, coleccionando cromos o yendo a caballo a la escuela cada mañana, a menudo «levantaba la mirada al cielo y sabía que allí había algo que me esperaba». A veces llevaba una novela juvenil sobre el Salvaje Oeste, o *Las aventuras de Huckleberry Finn* de Mark Twain, que sacaba de la biblioteca del pueblo. Su madre lo había animado a hacerse socio de la biblioteca, y mientras estaba sentado a una de las mesas, alzaba la mirada hacia las estanterías y veía centenares de libros con los lomos de vivos colores.

> *Resultaba una visión asombrosa para un muchacho que vivía en una granja en la que los libros eran casi desconocidos (...), en una comunidad rural que carecía de una cultura común o una tradición estética, en el periodo*

posterior a la Gran Depresión, en el que gente como mi familia y mis parientes trabajaban y trabajaban y no tenían tiempo para leer nada salvo el periódico (...). Yo estaba fascinado por los libros y lo que podría denominarse «la vida de la mente», y la vida que no era el trabajo manual, las tareas de la granja o de la casa, sino que, por su condición singular, parecía trascender esas actividades.

Los escritos de Gerald casi nunca se refieren al hecho de que tuviera un hermano menor, excepto en una ocasión en que sus padres le pidieron que compartiera su bicicleta con Jack, cosa que hizo de buena gana, y en otra ocasión en la que Gerald relata que los dos estaban muy cerca el uno del otro delante de la casa mientras su padre, que antaño había sido jugador de béisbol semiprofesional, intentaba enseñarle a Gerald la técnica del toque de bola.

Mi padre me rodeaba con sus brazos. Sus manos cubrían las mías, y suavemente las empujaba hacia arriba mientras empuñaba mi macizo bate de béisbol Louisville Slugger. «Tienes que parar la pelota en seco —me dice mi padre—. Este golpe es sobre todo control». Mi hermano está segando el césped de delante, y no nos presta atención. «Golpear con el bate sin darle impulso —dice papá— es algo hermoso, la oportunidad de que algo bueno ocurra en el futuro».

Quizá se centraba exclusivamente en ese golpe porque en el pequeño patio trasero de nuestra pequeña casa no podíamos lanzar la pelota muy lejos. De todos modos, creo que era algo más que eso. El toque de bola no cambia el partido, como ocurre con un home run *o un triple. Lo que se consigue es hacer progresar la jugada y mantener la pelota lo más lejos posible de donde la quiere el adversario, una estrategia, más de cerebro que de músculos, algo que mi inteligente padre comprendía.*

Mi hermano y yo no hemos llegado a ser grandes bateadores de las Grandes Ligas. Ninguno de nosotros ha cambiado el mundo. En los últimos años, hemos perdido nuestros empleos, hemos perdido nuestro swing, *hemos perdido nuestra confianza, hemos perdido nuestra fe, hemos perdido a papá. Pero gracias a él somos unos maestros en el arte de ir tirando, de hacer durar las cosas, de sacar el máximo cuando se presenta una oportunidad; a la hora de salir adelante sin nada más que el valor de nuestro corazón y la fuerza con que agarramos el bate, preparados para ese golpe sutil que papá nos enseñó.*

Gerald y su hermano Jack fueron unos atletas excelentes y completos en el instituto, y mientras que Gerald era mejor en béisbol, fútbol y atletismo, Jack (que superaba en cinco centímetros el metro ochenta de su hermano) era mejor en baloncesto, y fue también uno de los mejores lanzadores de disco del estado.

Durante los cuatro años que Gerald estuvo en la Marina, Jack fue a clase al instituto. Después de que licenciaran a Gerald, se casara con Donna y se comprara el motel Manor House, su hermano comenzó a cortejar a una joven de Colorado que había conocido en la universidad, y después de casarse la pareja se trasladó a Texas. Jack y su mujer ejercieron de maestros durante una época, tuvieron hijos y con el tiempo se pasaron al negocio de la propiedad inmobiliaria, en el que prosperaron, y se convirtieron en testigos de Jehová. La madre de los dos hermanos, católica devota, quedó consternada por la noticia. Tal como se lo expresó a Gerald: «Tu hermano Jack está perdido».

Tras esa conversión, ni ella ni el resto de la familia y parentela vio mucho a Jack, aunque esto no preocupó demasiado a Gerald. Estaba inmerso en sus cosas y en su vida privada en el desván. Cuando no iba con Donna y sus dos hijos pequeños a pasar el fin de semana con sus padres en la comunidad agrícola en la que vivían, a menudo escribía acerca de ellos y los años que pasaron juntos, y lo hacía reclinado en la moqueta del desván con su cuaderno, su lápiz y su linterna. Aquello se convirtió en una rutina: si le aburría lo que veía a través de las rejillas —si pasaba horas observando cómo la gente miraba la televisión—, trasladaba su atención del voyeurismo a su historia personal y recordaba sus aventuras infantiles en el Ault rural y sus pesares en una época de su vida en la que parecía que iba a quedarse bajito.

El pueblo era un auténtico paraíso rural, rodeado de dos mil granjas casi autosuficientes que habían sobrevivido a la Depresión y a dos guerras mundiales, y la comunidad poseía el vigor de los rancheros y granjeros que mantenían viva la calle Mayor. Todo el mundo conocía a todo el mundo y estaba al corriente de la historia de los demás. Había iglesias de todas las confesiones protestantes, y una parroquia católica. Se celebraban desfiles el Día de los Veteranos, el Día de los Caídos, el Cuatro de Julio, y en mitad de enero se dedicaba una semana al Festival de los Criadores de Ovejas. La población hacía cola en la calle Mayor para contemplar los desfiles, las carrozas y a la realeza coronada por el pueblo.

La realeza cotidiana del pueblo eran sus médicos y dentistas, los profesores de instituto y el equipo de fútbol que había logrado el campeonato estatal cuatro veces en una década. Los médicos del pueblo eran respetados y reverenciados, y seguían visitando a domicilio. Los pasillos largos y oscuros de la consulta de nuestro médico, en la calle Mayor, conducían a unas empinadas escaleras, y las tiras de goma negra que cubrían los peldaños absorbían todo el sonido. El médico era un hombre alto, calvo y sardónico, y era capaz de materializar calderilla detrás del cuello y los oídos de sus jóvenes pacientes, abriendo la mano cerrada para revelar el centelleo de una moneda.

Tras nuestra cita con el médico recorríamos en coche los siete kilómetros que nos separaban de la granja, pasá-

bamos junto a recintos feriales y campos, y la cúpula de los juzgados emitía un brillo dorado. La colina que había detrás de los juzgados estaba cubierta de altos árboles, cuyas ramas densas y frondosas convergían sobre la calle y parecían levantarse cuando pasaba algún coche. Nuestra granja estaba limitada por campos abiertos, llenos de borlas de maíz en verano, y gruesos tallos de heno recién segado purificaban el aire campestre con el olor más agradable de todos los tiempos. Las vacas pacían por el prado que, sobre un alto talud, quedaba al otro lado de la carretera, y nos miraban plácidamente. A veces se asustaban y echaban a correr como niñas patosas, ponían los ojos en blanco y se movían desgarbadas hasta que las perdíamos de vista.

Los números de teléfono del pueblo iban de los tres a los cinco dígitos. El nuestro era el 133J2. El de la tía Katheryn, el 227R2. El coche de mi madre era un sedán Mercury negro de 1946 de dos tonos. Era blanco y negro, y plano como una balsa. Cuando llegábamos a casa, mi padre estaba en la cocina preparando patatas fritas rojas de nuestros campos, «poniéndose con la cena», la única tarea doméstica que llevaba a cabo. Yo sabía que había aprendido a pelar patatas en el ejército, quitándoles la piel en un movimiento espiral continuo.

Mi padre, que ya había pasado los treinta cuando ingresó en el ejército, conoció a mi madre en el baile de los Criadores de Ovejas de 1933. Él tenía veintiséis años. Ella, diecinueve. Él era un apuesto granjero y tenía coche, un Ford de 1930. Se casaron en 1934, el año que yo nací. En el invierno de 1940, cuando mi madre ya tenía a sus dos hijos, se encontraba enferma y desnutrida, postrada en la cama, y nuestro médico vino a verla. Mi madre pesaba tan solo cuarenta y cinco kilos. El médico se sentó junto a ella con el maletín negro en el suelo. «Y ahora, Natalie —dijo al tiempo que encendía dos cigarrillos—, vamos a fumarnos este último juntos».

Su madre renunció a los cigarrillos, recobró la salud, y la vida de Gerald volvió a la normalidad. Cuando no ayudaba con las tareas domésticas o iba a la escuela, se paseaba por el pueblo sintiéndose

... invisible, por debajo del radar de la supervisión adulta. La consecuencia de tanta libertad sin supervisión fue que me volví precozmente independiente. No quiero decir con ello que mis padres no me quisieran, ni que me desatendieran en modo alguno, sino solo que en los años cuarenta, en esa parte del país, no había mucha conciencia del peligro. No era infrecuente que chicos y chicas adolescentes hicieran autoestop por las carreteras de la región. A mí me dejaban ir solo al Prince Theater, uno de esos cines de ensueño que se construyeron en los años veinte, recargados, elegantemente decorados. En la sombría opulencia del Prince, como en un sueño impredecible, caí bajo el hechizo de las películas igual que antes había caído bajo el hechizo de los libros. Podías asistir a los seriales por diez centavos, pero tenías que volver el sábado siguiente para averiguar lo que ocurría.

Incluso los fines de semana las carreteras estaban relativamente libres de automovilistas, y un día de 1947, cuando tenía doce años y jugaba a hacer rebotar piedras en el suelo mientras me paseaba por la calle, una hermosa piedra plana cogió mucha altura y fue directa contra la ventana de la planta baja de la casa del señor Thomas.

Se me encogió el corazón, y en mi interior todo gritó: «¡Corre!».

Pero no corrí. Me quedé allí parado, sin saber qué hacer. A continuación me acerqué a la puerta del señor Thomas y llamé. Una voz aulló: «¡Un segundo!». Pude oír que alguien bajaba las escaleras. Después de lo que pareció una eternidad, se abrió la puerta y apareció el señor Thomas.

El señor Thomas era un anciano menudo y delgado que criaba gallinas en el patio de atrás y tenía reputación de no ser demasiado amistoso. Me miró y dijo: «¿Qué quieres?».

En aquel momento tuve la impresión de haber cometido un error y me dije que ojalá hubiera echado a correr cuando había tenido oportunidad. Pero era demasiado tarde. Así que le solté: «Hacía rebotar piedras y por accidente una ha cruzado la calle y se ha colado por su ventana, señor Thomas».

Cuando terminé de contárselo todo, casi me desmayo, pues había dejado de respirar. El señor Thomas dobló el tronco para asomarse al interior de su casa y miró en dirección a la ventana.

«¿Tienes dinero para pagarla?»

Le dije que no y le pregunté cuánto creía que costaría.

«Yo diría que el cristal cuesta un dólar cincuenta —dijo—, y luego, claro, tendré que arreglar la ventana. ¿Cómo te llamas, chico?»

«Gerald Foos.»

«Bueno, pregúntale a tu madre si puedes venir a dar agua a mis pollos después del colegio. Si dice que sí, te pagaré un dólar a la semana y vendrás a mi casa cada día después del colegio y los sábados por la mañana. Cuando hayas pagado la ventana, tendrás algo de dinero para ti. ¿Qué te parece?»

«Me parece bien, señor Thomas. Aquí estaré en cuanto acabe las clases.»

Ese fue el comienzo de uno de mis mejores recuerdos. Cuando dejé al señor Thomas, me sentía de primera. Había hecho lo que debía, y todo había salido bien. Y lo mejor de todo, creía haber aprendido el arte de ser valiente y honesto. No era como hablar con tus amigos de lo que era ser valiente; no, aquello era la realidad, había querido echar a correr, pero no lo había hecho.

Cuando le conté a mi madre que iba a ganar un dólar semanal, me dijo: «En cuanto acabes de pagar esa ventana, puedes comenzar a darme cincuenta centavos para la casa y guardarte cincuenta para ti, y deja de hacer rebotar piedras por la calle».

Así que cada día, después de la escuela, y los sábados por la mañana, acarreaba agua para los pollos. El señor Thomas tenía unos doscientos. Había ocho bebederos para pollos desperdigados por el gallinero, y yo tenía que trajinar dieciocho cubos de agua desde la casa, que se encontraba a unos sesenta metros, para acabar el trabajo. Todo aquello me llevaba más o menos una hora y media, y calculé que noventa minutos seis días a la semana por un dólar a la semana me salía a unos once centavos la hora, que es lo que la gente ganaba más o menos en aquella época.

El señor Thomas fue mi primer amigo adulto, y me contó que las gallinas son unas aves bastante estúpidas. Me dijo: «Puedes entrar en el mismo gallinero cien veces, los animales no moverán ni una pluma, pero si vas con un nuevo par de zapatos o con un sombrero diferente, les entra el pánico y se ponen a revolotear por todas partes».

No dije nada, pero las gallinas no me parecían tan estúpidas. Es solo que no les gustan las sorpresas. Se sienten seguras con lo que conocen. En realidad, no son tan distintas de mucha gente que conozco, aun cuando tengan sus cosas y un aspecto curioso.

Quince

Leer el diario de Gerald Foos es averiguar que su primer amor del instituto fue el amor de su vida, y comprender que, como hombre de mediana edad en el desván, sentía nostalgia de cuando la gente solía mirarle a él y le vitoreaba desde las gradas tras conseguir un *home run* o anotar un ensayo. Y luego, después del partido, esperaba en el campo la llegada de su enamorada, la animadora estrella, que daba un salto en el aire con las piernas abiertas antes de aterrizar suavemente en su regazo, y entonces lo rodeaba con las piernas y lo abrazaba de una manera que nunca olvidaría.

Eso fue en 1953, su último año en el instituto, y en el periódico local su nombre aparecía a menudo y se describían sus proezas: «... Foos consiguió una hermosa carrera, huyendo de un par de perseguidores que pretendían placarlo en la línea de melé, y siguió avanzando tras llevarse otro golpe en la línea de 10...». Aquel año anotó varios ensayos, y poco después Barbara White volaba a sus brazos.

Veinte años más tarde, cuando ya los dos se habían casado con otras personas y ella se había ido a vivir con su marido a Arizona, Gerald, en un pronto, a veces dejaba el motel y recorría los ciento treinta kilómetros que lo separaban de su población natal. Le decía a su mujer que iba a visitar a su madre, Natalie, pero en realidad visitaba la casa donde había vivido Barbara White, donde al final de las tardes de invierno ella le sonreía y, con el dedo extendido, escribía su nombre en el cristal empañado de la ventana de su dormitorio.

Era la chica más guapa que he visto nunca, y también la más simpática, porque todo el mundo la apreciа-

ba. La había conocido en una cita a ciegas organizada por una de sus amigas, y me olvidé de todas mis aprensiones porque siempre había querido salir con Barbara. Me recibió con una leve sonrisa, y la película fue buena, aunque no recuerdo lo que vimos. Lo que sí recuerdo es que durante la película la rodeé tímidamente con el brazo, y que nos besamos al volver en coche a casa.

A partir de entonces salimos durante dos años. Lo único que hicimos fue besarnos y acariciarnos, que en aquella época, a principios de los cincuenta, era lo máximo que podía ocurrir. Algunos de esos jóvenes que en la actualidad tienen relaciones sexuales no saben lo que es esa sensación, la sensación de tener a alguien a quien amas y por quien te preocupas y a quien te limitas a besar. Jamás tuve la intención de practicar sexo con Barbara. Lo más atrevido que hice fue tratar de verle los pies, y eso provocó nuestra ruptura.

Estábamos aparcados detrás de la bomba que extrae agua para la población de Ault. En aquellos días, muchas colegialas calzaban zapatos con los colores del equipo de fútbol, que eran el rojo y el negro, y aquella noche los zapatos de Barbara eran rojos y negros y estaban iluminados por la luz que salía de la estación de bombeo. Mientras miraba sus zapatos, creo que me quedé traspuesto evocando los de mi tía Katheryn, ¡y casi sin pensar bajé el brazo y, zas, le quité el zapato!

Ella dijo: «Gerald, ¿por qué has hecho eso?».

«Solo quería verlo, y quería hacerlo.»

«Pues no vuelvas a hacerlo», me dijo.

Así que dejé el zapato debajo de ella, en el suelo de la camioneta, y seguimos besándonos y acariciándonos. Debía de ser medianoche, o más tarde. Y entonces vi su pie dentro de la media, y me dije que quería verle el pie completo, y en ese momento me agaché, ¡y zas!, le quité la media tan deprisa como pude.

¡Oh, entonces sí que se apartó de mí! Estaba furiosa, y alterada, y se sentía violada. Claro está, yo había viola-

do su confianza, porque nunca había tocado ninguna parte de su cuerpo que no fuera la espalda, el hombro o los brazos. Nunca le había tocado las piernas ni nada parecido, porque esa zona era tabú, era algo que simplemente no hacías, al menos desde mi perspectiva, tal como yo pensaba en aquella época. Y así fue como Barbara de inmediato saltó de la camioneta, se quedó fuera, de pie, y, mientras se daba la vuelta, se arrancó la cadena que llevaba al cuello con mi anillo y me lo arrojó al asiento.

«Esto no me gusta, Gerald», dijo, y se alejó cojeando de un pie.

Puse la marcha atrás de la camioneta y me detuve junto a ella. Le dije: «Eh, Barb, entra. Deja de comportarte como una tonta —o algo parecido—. La gente que hay ahí fuera nos verá y creerá que estamos riñendo».

«¿Y a ti no te parece que estamos riñendo?»

«Oh, vamos, Barb, entra en la camioneta. Lo siento, lo siento, ¿vale? Eres mi chica..., entra en la camioneta y lo hablamos.»

Siguió andando. Su casa estaba solo a una manzana. Y no dejó de ir a la pata coja todo el camino.

Incluso años más tarde, cuando llevaba ya mucho sin verla, si alguien mencionaba su nombre me derrumbaba. Y cada vez que pasaba en coche junto a la casa donde ella vivía —aun cuando tuviera la radio del coche apagada—, oía la voz de Ray Charles que cantaba:

I can't stop loving you
I've made up my mind
To live in memory
Of the lonesome times... *

---

* No puedo dejar de amarte, / he tomado la decisión / de vivir en el recuerdo / de mi época solitaria... *(N. del T.)*

Dieciséis

Los años que Gerald Foos pasó en la Marina no dejaron demasiada huella en sus escritos, porque, como me explicó posteriormente, sus experiencias más interesantes durante ese periodo quedaban dentro de la categoría de «información clasificada». Tras un adiestramiento básico y un viaje por Hawái —una fotografía de Foos en la playa de Waikiki nos muestra a un joven de músculos espectaculares que posa en traje de baño con el torso desnudo—, lo escogieron para servir en los equipos de demolición submarina, precursores de los SEAL. Aunque la guerra de Corea había terminado en 1953, durante los cuatro años siguientes él y sus compañeros de tripulación mantuvieron una vigilancia de veinticuatro horas mientras estaban adscritos a un crucero llamado *USS Worcester*.

El navío había estado en el mar Amarillo a principios de la guerra para ayudar en los ataques anfibios contra el ejército de Corea del Norte; pero cuando llegó Foos, había sido reasignado a las operaciones de la OTAN en el Mediterráneo. En algunas ocasiones los desviaban al océano Atlántico, donde hacían escala en ciudades como Bar Harbor, Boston, Nueva York y Norfolk antes de poner rumbo a Guantánamo y Panamá. Aunque sus notas sobre este tema son breves, confiesa haber perdido la virginidad gracias a la hospitalidad de un burdel concreto sombreado por palmeras en una ubicación no revelada.

Cuando estaba embarcado, siempre se le presentaban imágenes eróticas de su tía Katheryn y los inolvidables recuerdos de su perdida Barbara White. Su pasión voyeurística remitió durante sus años de servicio, sobre todo por el miedo a que lo descubrieran y la vergüenza que pasaría si lo licenciaban con deshonor. Hizo muy pocos amigos mientras estaba en la Marina, y se escribía sobre todo con sus padres. Su padre, Jake, cuidaba de sus cromos de deporte y sus colecciones en su ausencia, e incluso añadió alguna pieza, como un valioso bate de béisbol firmado por el jugador Honus Wagner, que formaba parte del Salón de la Fama y a principios de la década de 1900 había jugado con los Pittsburgh Pirates. Gerald escribió: «Mi padre y yo tenemos muy poco en común, excepto nuestro amor por los deportes».

Jake Foos había sido un buen jugador de béisbol semiprofesional a principios de los años treinta, y un ojeador de una de las Grandes Ligas había expresado su interés en firmarle un contrato. A Gerald esto se lo había contado su madre, Natalie, que solía ir a ver a Jake cuando jugaba de campocorto (la posición de Honus Wagner) en el equipo de su localidad, los Windsor Merchants, en una región triguera al norte de Colorado, no lejos de Ault.

Los Windsor Merchants eran un gran equipo, dijo Natalie, con tanto talento que en una ocasión derrotaron al arrollador grupo afroamericano de Leroy «Satchel» Paige, que visitó Windsor en el verano de 1934. Días antes, Satchel Paige había sido el lanzador estrella en el torneo anual de Denver patrocinado por el *Denver Post,* en el que participaban equipos profesionales independientes y semiprofesionales de todo el país, y que por primera vez incluía a jugadores negros. Todo esto ocurría trece años antes de que los Brooklyn Dodgers admitieran a Jackie Robinson en las Grandes Ligas, en 1947. (Un año después, Satchel Paige llegó a las Grandes Ligas a través de los Cleveland Indians, a los cuarenta y dos años.)

Pero Jake Foos (que, según Natalie, consiguió dos sencillos contra Paige durante el partido de exhibición en Windsor) nunca aspiró a jugar en las Grandes Ligas. En 1934 acababa de casarse y estaba a punto de tener su primer hijo, tal como lo describió Gerald en sus notas:

En la granja, a papá se le veía feliz levantándose temprano para trabajar al aire libre (...). A principios de primavera plantábamos avena, trigo, maíz, remolacha y judías, y ordeñábamos las vacas (...). En casa, sin embargo, las cosas no siempre eran pacíficas. Mi padre era un hombre maravilloso y un buen sostén familiar... hasta que bebía. Yo sabía que en cuanto los cubitos tintineaban en el vaso se convertía en una persona distinta, un borracho cabreado. Aquello me desconcertaba, porque sobrio era encantador. No comprendía que papá era alcohólico, pero en aquella parte del país casi todos los padres lo eran, cosa especialmente cierta en el caso del marido de la tía Katheryn, mi tío Charlie.

Durante uno de los permisos de Gerald Foos mientras estaba en la Marina, el *USS Worcester* permaneció en el puerto de Nueva York unos cuantos días antes de zarpar hacia Panamá. Tras comprar una entrada para un partido en el Yankee Stadium, Foos ocupó su asiento en la primera fila de la tribuna descubierta y pudo ver de cerca la espalda de Mickey Mantle mientras este jugaba de exterior. Aunque aquel día Mantle consiguió un *home run,* lo que más le impresionó de él fue la velocidad y agilidad con que cubría el campo.

Vi cómo Mickey Mantle echaba a correr tras una bola alta y larga en la enorme planicie del centro del campo, y pensé que no la iba a coger. Me pareció que no corría lo bastante deprisa. Parecía como si se limitara a deslizarse fácilmente debajo de una veloz mota blanca, que él ya había detectado antes de que yo oyera el golpe del bate, y antes de que yo comprendiera por qué Mantle se estaba moviendo. Y justo cuando estaba a punto de volverme loco de preocupación porque pensaba que no iba a coger la pelota, la dejó hundirse en su guante como si desde el principio hubiera sabido que el guante era el único lugar al que quería ir la pelota.

En lo sucesivo, Foos coleccionaría muchos objetos relacionados con Mantle: cromos de béisbol antiguos, pelotas firmadas, un bate Louisville Slugger firmado.

Años después de que lo licenciaran, y muchos meses después de construir la plataforma de observación de su desván, Gerald Foos a veces se sentía como si aún estuviese en la Marina, a la deriva en aguas tranquilas, mirando a través de las rejillas de celosía de su motel igual que cuando entrecerraba los ojos para observar por los binoculares en sus años de servicio en cubierta, escrutando a gran distancia sin divisar nada de interés. Su vida en el desván era monótona y sin incidentes. Su motel era un barco en dique seco cuyos huéspedes no hacían más que ver la televisión, hablar de banalidades, mantener relaciones sexuales bajo las mantas, si es que las mantenían, y darle tan poco de lo que escribir que a veces no anotaba nada.

La vida cotidiana es aburrida, concluyó, y no por primera vez; no es de extrañar que siempre haya un gran mercado para lo imaginario: obras teatrales, películas, novelas, y también la violencia legalizada inherente a deportes como el boxeo, el hockey y el fútbol americano. Gerald escribió: «Hablando de fútbol o de hockey, si los jugadores fueran armados con cuchillos y armas de fuego, no habría estadios lo bastante grandes para contener a las multitudes».

Gerald a menudo presenciaba ejemplos de la deshonestidad de sus huéspedes, cuando admitían estar jugando a dos bandas en su profesión o expresaban su voluntad de transigir en sus principios si ello les resultaba económicamente provechoso. A veces intentaban engañarlo con el alquiler de la habitación, y apenas pasaba una semana sin que presenciara alguna jugarreta cada vez que un huésped masculino, ávido de sexo, entraba en el motel con una mujer que no conocía muy bien. Tal como describía en el *Diario de un voyeur:*

> *Se han registrado un varón blanco y una mujer blanca «de casquete rápido» en la habitación 9. Él era un oficinista de unos 40 años, de 1,75 y 70 kilos, aspecto corriente; ella rondaba los 25 y medía más o menos 1,60, atractiva.*
>
> *Tras entrar en la habitación, el varón de inmediato comenzó a negociar un trato para obtener placer sexual. Le había ofrecido 25 dólares por tener sexo oral y coito, pero ella le dijo: «Dame 45 dólares y te haré la mejor mamada de tu vida. Soy una experta».*
>
> *Al final él estuvo de acuerdo y le dio el dinero.*
>
> *«Quítate la ropa y ponte cómodo», dijo la mujer.*
>
> *Cuando él se hubo quitado la ropa, ella le dijo: «Necesito una Coca-Cola para aclararme la garganta cuando trabajo. ¿Tienes cambio para la máquina?».*
>
> *«Yo te traeré la Coca-Cola», dijo él; pero la mujer contestó: «Oh, no, ya te has desvestido. Voy a buscarla y vuelvo enseguida».*
>
> *La mujer cogió las monedas y salió del cuarto. Cuando ella se hubo marchado el hombre comenzó a jugar con su pene con intención de conseguir una erección. Pasaron unos diez minutos, y él seguía esperando y jugando con su miembro.*
>
> *Al final el hombre se puso en pie, miró por la ventana y dijo: «Menuda cabrona..., ¡la muy puta se ha ido!».*
>
> *Se puso la ropa a toda prisa y salió de la habitación del motel. Inmediatamente bajé de la plataforma de observación para ver qué estaba ocurriendo. Pero no le vi y regresé a la oficina.*

Unos quince minutos más tarde, lo vi regresar a la habitación 9. Volví a la plataforma de observación y vi cómo se quitaba otra vez la ropa; ahora se le veía muy disgustado. Tenía entre manos una revista pornográfica, y estaba recostado en la cama, y entonces empezó a masturbarse y al final eyaculó sobre la foto de una modelo desnuda. Luego arrancó la foto de la revista y la tiró por el váter.

Conclusión: Por desgracia para él, la mujer que le había acompañado no era una prostituta, sino una artista del timo. Las prostitutas casi nunca, o nunca, utilizan tácticas de timadora. He visto a muchas fulanas con sus clientes, y casi siempre juegan limpio y llevan a cabo el servicio acordado. El hombre debería haberse dado cuenta de lo que pretendía la mujer cuando ella se quedó con los 45 dólares y lo dejó solo en la habitación con la excusa de que iba a buscar una Coca-Cola.

Diecisiete

Al abarcar tantos años, el diario de Gerald no solo ilumina algunas pautas de cambio social tal como las veía a través de las rejillas de observación, sino que también refleja los cambios demográficos. Desde 1960 a 1980 la población de Colorado aumentó en un sesenta y cinco por ciento, con más de un millón de nuevos residentes, algunos de los cuales pasaron por el motel Manor House. No siempre fueron muy apreciados.

> *Una pareja de blancos de clase trabajadora, treintañeros, con un remolque de alquiler U-haul detrás de su viejo sedán, llegó de Chicago y alquiló una habitación para una semana. Él era un hombre de 1,80 y unos 85 kilos, y ella una mujer de 1,75, delgada y de aspecto corriente. Ambos eran muy locuaces, y él, en particular, expresó el deseo de conseguir trabajo en la zona y establecerse allí.*
>
> *Aquella semana los estuve observando de manera esporádica, y lo pasaron muy mal buscando trabajo y casa. Su vida sexual era inexistente, y cuando él se acercaba, ella lo rechazaba y soltaba algún comentario crítico. Le decía que no se esforzaba lo suficiente en conseguir trabajo.*
>
> *De vez en cuando el hombre comentaba sus problemas conmigo en la oficina, aunque lo hacía con una actitud distinta de la desesperación que yo escuchaba desde la rejilla. Me dijo que las cosas estaban mejorando. Al final de la semana, cuando terminó el plazo de alquiler de la habitación, me pidió una ampliación de tres días afir-*

mando que esperaba un cheque de Chicago. Como comprendía su situación, accedí a su solicitud.

Al día siguiente, mientras los observaba, oí que el tipo le decía a la mujer: «El idiota de recepción cree que estoy esperando un cheque de Chicago, le he engañado igual que engañamos al del motel de Omaha».

Ella se enfadó con él y le dijo que debería conseguir un trabajo y dejar de aprovecharse de la generosidad de los demás.

Así que el cabrón era un mentiroso, por lo que decidí proteger mis intereses y puse un candado en el pomo de la puerta. Este dispositivo impide que un huésped introduzca la llave en la cerradura. Cuando la pareja regresó a su habitación, el tipo vino corriendo a la recepción y me soltó: «Me dijo que podía quedarme hasta que recibiera mi cheque». Le contesté: «He decidido que debe cambiar de planes y pagar la habitación ahora». Él me dijo: «Sabe que el cheque está en camino». «No hay ninguna garantía», dije, y le expliqué que me quedaría con sus pertenencias hasta que pagara todo lo que debía por la habitación.

Se fue enfadado. Esperé media hora y cambié la cerradura de su puerta y trasladé las pertenencias a nuestro trastero.

Conclusión: Miles de personas infelices y descontentas se trasladan a Colorado para satisfacer ese profundo anhelo de su alma, con la esperanza de mejorar su modo de vida, y llegan aquí sin dinero y solo encuentran desesperación (...). La sociedad nos ha enseñado a robar, mentir y engañar, y la artimaña es el ingrediente primordial que constituye al hombre (...). Ahora que mis observaciones de la gente se acercan a su quinto año, comienzo a ser pesimista respecto al rumbo que está tomando nuestra sociedad, y yo mismo me siento más deprimido a medida que comprendo la futilidad de todo.

De hecho, hace poco he ideado una prueba de honestidad que he utilizado para tentar a algunos de nuestros huéspedes. El primero al que puse a prueba era un teniente coronel del ejército que rondaba los 55 años, recién destinado a un puesto administrativo en el hospital militar Fitzsimons, y que durante un tiempo se alojó en la habitación 10 de nuestro motel.

Foos explicaba brevemente la prueba:

Comienzo colocando una pequeña maleta en el armario de la habitación 10. La maleta está asegurada con un candado pequeño y barato que cualquiera puede romper fácilmente o abrir haciendo palanca. Los huéspedes casi siempre dejan maletas pequeñas que utilizo para mi experimento.

Cada vez que un huésped cuya honestidad quiero poner a prueba llega al motel, lo alojo en la 10. Mientras llena el impreso de registro, hago que mi esposa me telefonee desde nuestras habitaciones haciéndose pasar por un huésped que ha dejado una maleta en la habitación con 1.000 dólares dentro.

«¿Y dice que la maleta contiene 1.000 dólares?», le repito a Donna en voz alta, suponiendo que el huésped recién llegado a la recepción está escuchando. A continuación cuelgo el teléfono y le grito a mi esposa, que está en nuestro apartamento: «Donna, ¿la doncella te ha entregado una maleta pequeña con dinero dentro que alguien se ha dejado?».

Y Donna me contesta gritando: «No. No he encontrado nada».

Entonces cojo el teléfono y le digo a Donna por el auricular: «Lo siento, señor, no hemos encontrado nada, pero si lo encontramos, como tenemos su dirección, se lo mandaremos enseguida».

Ese día en concreto, mantuve ese diálogo ficticio mientras el coronel del ejército se registraba. Después de haber rellenado el impreso, le asigno la habitación 10 y subo a mi plataforma de observación a ver lo que hace.

Lo primero que hace al entrar en la habitación es colocar su maleta en la cama e ir al cuarto de baño. Cuando sale, enciende la tele y rápidamente inspecciona el cuarto. Lee la tabla con los precios del hotel que está clavada en la puerta. Abre y cierra los cajones de la cómoda. Se quita la guerrera militar y la cuelga en el armario. Entonces es cuando ve, en el estante del armario, la pequeña maleta. La saca y la coloca sobre la cama. Toca el pequeño candado, pero no lo abre. Al igual que los demás huéspedes en este brete, por un segundo evalúa la situación.

Este es el momento que me encanta presenciar. El momento en que la integridad o la deshonestidad cruza la mente de la persona. He aquí la cuestión: ¿debo abrir el candado y coger los 1.000 dólares? ¿O debería ser un buen samaritano y devolver la maleta a la oficina? Casi se puede oír a cada persona pensando para sí: nadie sabe que la maleta está en esta habitación, y hay 1.000 dólares dentro, y Dios sabe lo bien que me iría el dinero.

Ese coronel en concreto tardó diez minutos en tomar una decisión. Al final, en última instancia triunfó el mal. Intentó retorcer el candado con los dedos, pero no lo consiguió. Salió de la habitación, cerró cuidadosamente la puerta y regresó con un destornillador del coche. A la vuelta, no tenía muy claro si utilizarlo. Salió otra vez de la habitación y entró en la oficina, donde Donna lo vio y lo saludó. Se quedó allí unos instantes sin hacer nada, como si no tuviera muy claro si alguien más estaba al corriente de que había encontrado la maleta.

Acto seguido regresó a la habitación 10. Puso la cadena de la puerta, se sentó en la cama y con un movimiento del destornillador abrió la maleta. Comenzó a revolver entre las ropas dobladas, hurgando en cada rincón y cada bolsillo. De repente comprendió que en la maleta no había dinero, solo ropa. Negó con la cabeza, en señal de confusión y preocupación. Y ahora ¿qué? Probablemente estaba pensando: no puedo devolver esta maleta a la oficina con el candado roto, y tampoco puedo dejarla aquí.

Después de pasearse unos cuantos minutos arriba y abajo, el coronel cogió su impermeable, envolvió la maleta con él y salió de la habitación 10. Le oí poner en marcha el coche, y al parecer se largó para encontrar un lugar donde deshacerse de la maleta.

El Voyeur de la torre de observación sacó su libreta y anotó otro ejemplo de codicia por parte de un huésped del motel.

Conclusión: Tras someter a quince huéspedes registrados a esta prueba —entre ellos un ministro de la Iglesia, un abogado, unos cuantos hombres de negocios, una pareja de trabajadores, una pareja que estaba de vacaciones, una mujer casada de clase media y un hombre sin empleo—, solo dos *entre toda la lista retornaron la maleta a la oficina sin abrir. Uno era médico. La otra era la mujer casada de clase media. El ministro de la Iglesia y los demás abrieron la maleta e intentaron deshacerse de ella de distintas maneras. El ministro la sacó por la ventana del cuarto de baño y la arrojó entre los setos. El médico, de hecho, intentó abrirla, pero cambió de opinión. Y de los quince sujetos que puse a prueba, solo la mujer no se vio tentada por la codicia.*

El Voyeur a las pruebas se remite.

Dieciocho

En la categoría de «gente honesta pero infeliz» del Voyeur, una gran mayoría de sus sujetos eran parejas casadas de fuera de la ciudad que, durante su breve estancia en el motel Manor House, expresaban tantas quejas o señales de una tensión conyugal continua que él no dejaba de recordarse que era muy afortunado al tener una esposa como Donna.

«Sin su comprensión y actitud carente de prejuicios, mi laboratorio de observación nunca se habría hecho realidad. Mi esposa —escribió Gerald— se esforzó todo lo que pudo por comprender los motivos que había detrás» de su voyeurismo. «No me ha criticado ni condenado por esta perversión, y con ello me ha ayudado a racionalizar mi convicción de que el voyeurismo es el estado natural del ser, y de que se trata de un deseo presente en todos los hombres.»

Gerald contaba con una esposa fiel y que le adoraba encarnada en una rubia hermosa y risueña, una enfermera residente, una cómplice en su propensión a husmear, una presencia lasciva en el desván cuando no estaba de guardia en el hospital, una administradora de las finanzas familiares de toda confianza, una madre cariñosa para sus dos hijos, y, algo también digno de mención, su secretaria y escriba privada siempre que él estaba demasiado cansado o aburrido para poner por escrito algunas de las tediosas escenas y situaciones que había presenciado a través de las rejillas.

Cuando no tenía ganas de coger el lápiz, le dictaba sus observaciones a Donna, que sabía taquigrafía (la había aprendido en la secundaria), y que poco después le proporcionaba una transcripción que copiaría de su puño y letra para incluir en el *Diario de un voyeur.*

Donna también le ayudaba a compilar los apuntes y porcentajes que registraba en su informe anual, una tarea que llevaba a cabo con el mismo nivel de exigencia que mantenía cuando anotaba datos médicos en el hospital.

Puesto que Gerald Foos se dejaba llevar con frecuencia por la fantasía de que tenía entre manos una importante obra científica, y se imaginaba a Donna y a sí mismo como dos colegas de bata blanca de la renombrada pareja que dirigía el Instituto Masters & Johnson de St. Louis, su informe escrito a menudo transmitía el tono profesional de un terapeuta sexual o consejero matrimonial, sobre todo en las frases finales que componían su «Conclusión». Una típica «Conclusión» aparecía al final de lo que escribió acerca de una pareja madura de Joplin, Misuri, que mantenía una relación muy fría y que decidió alojarse en la habitación 7, una con dos camas dobles.

> *Puesto que no tenía nada mejor que hacer, decidí observar a esa pareja tan poco atractiva. Mientras se registraban, observé que el marido no mostraba ninguna emoción. Es gerente de una fábrica de coches, y ronda los 45, 1,75, bien arreglado, con gafas. Su mujer también rondaba los 45, delgada, unos 48 kilos, con la boca pequeña. Cuando entraron en la habitación, observé que el marido tenía la misma expresión adusta que en la oficina. Ella fue la primera en ir al cuarto de baño, y cuando salió dijo: «Vamos a cenar».*
>
> *Regresaron a las nueve y media y comentaron la película que habían visto, se desvistieron, ella se quitó el sujetador llevando la parte de atrás hacia delante, se puso el camisón y luego se quitó las bragas por debajo. Se retiraron a camas separadas mientras veían la tele. Mucho más tarde él se trasladó a la cama de ella e intentó tocarla y acariciarla; pero cuando la mujer se puso amorosa, eso pare-*

ció liquidar cualquier perspectiva de que él tuviera una erección.

Su mujer dijo: «No has sido capaz de hacer nada en tres semanas, ¿por qué sigues intentándolo en este maldito motel?».

El hombre no contestó.

Ella siguió diciendo: «Cuando un hombre besa y ama a su esposa, se supone que tiene una erección, pero a ti ya no te pasa. Creo que simplemente te estás haciendo viejo y ya no necesitas sexo. Y yo tampoco. Así que no te preocupes».

La mujer decidió darse un baño y cerró la puerta. El marido regresó a la cama con una cara inexpresiva, pero comenzaron a rodarle lágrimas por las mejillas. Se limpió las lágrimas, apartó las sábanas, y el Voyeur presenció cómo se colocaba una mano en la punta del pene y la otra en los testículos, y se acariciaba el pene con rapidez, longitudinalmente. Al cabo de dos o tres minutos de utilizar esta técnica consiguió una gran erección, y aplicando la presión y la velocidad de caricia adecuadas, llegó al orgasmo. La eyaculación no fue copiosa en contenido seminal, por lo que al parecer se masturbaba a menudo.

Durante la masturbación, no dejó de vigilar muy atento la puerta del cuarto de baño, supongo que para asegurarse de que su mujer no salía sin previo aviso. Se limpió el semen con la parte inferior de la colcha y se tapó.

Su mujer regresó del baño y entró en el dormitorio sin hacer ruido. Él mantuvo su cara de póquer, y apagó el televisor y después la luz, y la pareja no tardó en quedarse dormida.

Conclusión: Tras observar muchas formas distintas de impotencia, el Voyeur está convencido de que se trata de uno de los temas menos comentados y divulgados en el ámbito sexual. Este hombre no es impotente: es posible que a lo mejor solo le asuste tener relaciones, y si su mujer tuviera un poco más de educación sexual, probablemente podría curar su «impotencia» de inmediato practicándole sexo oral o tocándole el pene con la mano.

La mujer probablemente recibió una educación que ve con malos ojos cualquier tipo de preámbulo sexual. La pareja seguramente permanecerá anclada para siempre en esta confusión e ignorancia.

En fecha posterior, otra pareja se registró en la habitación 7, con sus camas separadas, aunque, a diferencia del triste marido de Joplin y su deprimente mujer, esos huéspedes de inmediato iluminaron el cuarto con su aspecto atractivo, su simpatía general y la evidente muestra de afecto mutuo, cosa que hizo las delicias del Voyeur, pues él los había registrado *(¡para un total de seis semanas!)*, y por tanto estaba impaciente por ver una abundancia de saludables imágenes de dicha marital y tener la oportunidad de añadir algunas páginas jugosas a su diario, demasiado a menudo tibio.

El marido, un hombre delgado y de pelo oscuro, era oficial de la Fuerza Aérea y asistía a un entrenamiento veraniego de seis semanas en la Base Lowry de la Fuerza Aérea de Denver, y su esposa, maestra de escuela en Misisipi, pasaba sus vacaciones con él, aunque (como no tardé en descubrir) se tiraba casi todo el día sola en la habitación 7.

Era una morena bien proporcionada que frisaba los 30, muy alegre y amistosa; y un día, al ver un cartel en nuestra oficina que anunciaba que necesitábamos cubrir una vacante de camarera, se presentó voluntaria para el trabajo.

«Estoy acostumbrada a trabajar —explicó—, y aquí me aburro sin hacer nada».

Así que la contraté de manera temporal, y fue excelente. Eficaz, alegre, y nunca se quejaba. Puesto que a menudo estaba por la oficina, dispuse de muchas oportunidades para hablar con ella de sus orígenes y educación. Había nacido en una comunidad rural de Misisipi y su familia cultivaba tabaco. En su simpático acento sureño me describió una infancia de mucha pobreza, pero ella se esforzó por ir a la universidad y consiguió ser maestra. Conoció a su marido en la universidad, se casaron pronto y él de inmediato siguió la carrera militar. La mujer afirmaba estar felizmente casada. No tenía hijos.

Al observarlos por la noche, pude confirmar que parecían felices. Él siempre era cortés y considerado, y ella se mostraba tan alegre con él en la habitación como cuando hacía sus tareas en el motel. Pero lo que me dejó totalmente confundido fue la inactiva vida sexual de la pareja. Durante las primeras tres semanas que se alojaron en la habitación 7, no los vi mantener relaciones ni una vez. Y sin embargo, no se parecían en nada a las otras parejas casadas y sexualmente distantes que he visto, que discuten y discrepan casi todo el tiempo. No, la pareja de Misisipi parecía quererse de verdad.

En una ocasión le oí mencionar al marido que como pareja hacía tiempo que no mantenían relaciones, pero ella le contestó: «Cuando quieras y lo que quieras, cariño, a mí me parece bien». Pero después de eso no se dijo nada más, y por lo visto no ocurrió nada.

Solo al final de una tarde, durante su quinta semana, cuando ella hubo terminado su trabajo de camarera, el Voyeur observó que yacía desnuda en mitad de una de las camas. Las lamparitas de las mesillas estaban encendidas, y perfilaban cada curva de su cuerpo joven. Entonces, como en un trance, la mujer se levantó de la cama y sacó una pequeña maleta del armario. Rebuscó en el interior y extrajo un vibrador a pilas. Tenía unos quince centímetros de largo y era de color carne. Se lo llevó a la cama, lo puso en marcha, y comenzó a pasárselo despacio por la caja torácica, a continuación por su vientre liso, y finalmente lo colocó entre los muslos. Cuando la punta del vibrador tocó los labios de la vagina, unos estremecimientos de placer parecieron recorrerle todo el cuerpo.

El Voyeur observaba a unos dos metros de distancia y la oía respirar a un ritmo creciente, mientras detectaba ese olor especial de cuando se acercaba al orgasmo, y el Voyeur también se preguntaba si el marido sabía que su mujer utilizaba un vibrador y que se lo llevaba en sus viajes. Y si no era así, ¿cómo conseguía ella esconderlo tan bien? ¿Y de dónde lo había sacado? El Voyeur se dijo que ojalá pudiera formularle esas preguntas y desvelar los misterios de esa mujer dulce y acomodaticia y del hombre con el que había decidido casarse.

Luego ella se levantó de la cama, volvió a colocar el vibrador en la maleta y se fue al cuarto de baño. Llenó la bañera de agua, vertió una generosa cantidad de aceite perfumado, se frotó y se limpió el cuerpo y también se lavó el pelo. Tras secarse el cuerpo y rociarse de polvo de talco perfumado, enchufó el secador y se secó el pelo. Puso mucho esmero a la hora de colocarse las ondas rizadas de modo que la favorecieran. Mientras se aplicaba carmín, hizo una breve pausa para estudiar su cuerpo desnudo reflejado en el espejo del tocador.

Acto seguido escogió una falda azul oscuro y una blusa blanca del armario. Cuando acabó de vestirse, se metió algo de dinero en el bolsillo y salió de la habitación.

El Voyeur abandonó la plataforma de observación y regresó a la oficina. La mujer había ido allí a buscar cambio para la máquina de refrescos. Ella y el Voyeur intercambiaron las cortesías de rigor y mantuvieron una breve charla. El Voyeur observó que estaba aún más hermosa vista de frente que desde la rejilla de observación.

«Voy al centro a hacer algunas compras —dijo—. Si ve a mi marido, ¿le importaría decirle que volveré a eso de las seis?».

Conclusión: Por desgracia para esta pareja, parecen poseer diferentes niveles de intensidad sexual. Probablemente él es un dos, y ella un siete. Debido a esta diferencia, y a pesar de la cortesía con que se tratan, en el futuro de este matrimonio asoman graves problemas.

Diecinueve

Gerald Foos estaba muy orgulloso de que nunca le hubieran pillado, de que nunca se hubiera sabido su secreto. Pero hubo al menos una ocasión en la que estuvo peligrosamente cerca de ser descubierto.

Un día, mientras se encontraba en el desván observando a una pareja que se alojaba en el motel con la tarifa semanal, Foos vio que el marido miraba hacia el techo y le preguntaba a su mujer:

—¿Para qué es ese conducto? No es un conducto de calefacción... Yo trabajo en la construcción y lo reconocería.

—¿Qué es, entonces? —preguntó la mujer.

—Podría ser una mirilla.

La mujer soltó una risita.

—¿Quieres decir que alguien podría estar observando todo lo que hacemos?

—Hay mucho rarito en el mundo —dijo él—. Lo averiguaré.

Gerald anota que se sintió «un tanto inquieto ante lo que ocurría ahí abajo». Con cautela, recorrió marcha atrás el suelo del desván, salió, cerró la puerta con llave y regresó a la oficina.

Allí se puso a cavilar sobre la gravedad de lo que había escuchado. Desde un primer momento había decidido que, si se descubría su plan, llamaría a la plataforma de observación «"pasarela de servicio", es decir, un acceso para llegar a la instalación eléctrica, los tubos de calefacción, las cañerías, etcétera. Los conductos se utilizaban para dispersar el humo y los malos olores de las habitaciones. Eso era lo que le diría al sujeto si sospechaba algo fuera de lo normal, y si no lo creía, que demostrara lo contrario».

«No sabía lo que iba a ocurrir al día siguiente —escribió Gerald—, pero me dije que quizá el sujeto llamaría a la policía para que investigara o se me enfrentaría personalmente. No ocurrió ninguna de las dos cosas».

Gerald permaneció «completamente alejado de la torre de observación durante varios días», e intentó «determinar qué planes tenía el sujeto».

«Al cabo de cuatro días me aventuré a la plataforma de observación y descubrí que el sujeto había tapado el conducto con papel. No obstante, había una pequeña rendija en un lado que permitía una observación parcial. Esa misma noche practicaron sexo oral, que posteriormente acabó en coito.»

Dos días más tarde la mujer se presentó en la oficina y le dijo a Gerald que su marido había regresado a casa y que ella también se iría dentro de poco. «En aquel momento —escribió Gerald— la mujer me reveló algunos hechos alarmantes: a saber, que [su marido] había trepado por el conducto, se había metido en el techo y se había dado un paseo. Era un hombre muy menudo, y había cabido justo por el conducto. Jamás se me había ocurrido que alguien pudiera meterse por ahí, aparte de algún niño pequeño. Le expliqué que se trataba estrictamente de una plataforma de servicio, y lo aceptó sin más preguntas».

Veinte

A pesar de su privilegiada posición como observador secreto de momentos íntimos, el Voyeur seguía sin acabar de comprender todos los vericuetos del comportamiento humano. Una «pareja tremendamente atractiva de Oakland», a la que había registrado en una habitación equipada con dos camas separadas, aumentó su sensación de asombro.

Él era un hombre apuesto de más de 1,85, de proporciones atléticas, que frisaba los 30, y ella era una morena de 1,70 de veintipocos. Habían vivido en Boulder, Colorado, durante los últimos seis meses, y ahora necesitaban una habitación con una cocina para pasar unas semanas hasta que estuviera terminado su nuevo apartamento de Aurora.

Hablando con ellos me enteré de que ella había sido Miss California y había quedado segunda en el concurso de Miss Estados Unidos, y de que al parecer se habían casado poco después. Tras el concurso, su marido había pasado a ser su agente, y continúa gestionando su carrera de modelo. Les interesa Aurora porque una pequeña empresa cinematográfica se ha establecido aquí, y tienen algunos contactos con ella.

Pero esta hermosa pareja encarna una de las relaciones más extrañas que he presenciado. Tras observarlos durante más de dos semanas, es asombroso..., no mantienen ningún contacto sexual.

Duermen en camas separadas. En sus conversaciones diurnas y nocturnas solo hablan de temas de su carrera. Casi siempre están en desacuerdo. Él quiere que ella con-

tinúe su carrera de modelo de manera más activa, pero ella se resiste a muchos compromisos, o a las fechas que él le concierta. A menudo el hombre sale de la habitación furioso y no regresa durante horas.

Cuando él se va, ella se queda sola en la habitación, viendo la tele, y a veces se pasea desnuda y contempla su cuerpo en el espejo con gran interés, y a veces se sienta y se mira con especial interés las piernas y los pies. A veces también se tumba en la cama acariciándose suavemente el cuerpo en zonas distintas, pero nunca la he visto masturbarse. A veces detecto expresiones de desagrado en su cara, y también a veces su cuerpo parece estremecerse. Es como si se sacudiera algo o a alguien que está lo bastante cerca como para poder tocarla. En una ocasión la oí llorar, cosa que duró varios minutos, pero entonces paró y pareció profundamente apaciguada.

Conclusión: Al Voyeur le resulta difícil creer que a este hombre con el que está casada solo le interese promover su carrera de modelo, aunque, por lo observado, eso es lo que parece. Tampoco siente ningún deseo sexual por esa hermosa criatura. A lo mejor él es homosexual. Sin embargo, he visto otras parejas no-sexuales. No tan atractivas como esta, pero existen parejas jóvenes no-sexuales en mayor número del que cree la gente.

De hecho, mis observaciones indican que muchas de estas parejas no-sexuales, que todavía no están en la mediana edad, por lo general parecen conformes. He calculado unas cifras acerca de la frecuencia sexual, y son las siguientes:

- *El doce por ciento de las parejas observables en el motel son muy sexuales.*
- *El sesenta y dos por ciento lleva una vida sexual moderadamente activa.*
- *El veintidós por ciento tiene un apetito sexual bajo.*
- *El tres por ciento nunca tiene relaciones.*

Como no tengo otra manera de medir esto correctamente, he concluido que una pareja es «muy sexual» si uno de sus miembros es agresivo. Lo más frecuente, en esta categoría del doce por ciento, es que ambos miembros se puedan calificar de «muy sexuales», y como ejemplo cito una pareja casada de Wichita, Kansas, que comparte una cama doble en la habitación 6.

El marido es un varón blanco de 1,85 de treinta y pocos, y su mujer es una rubia de 1,70, tez clara y carácter agradable. Los instalé en la habitación 6 a las cinco de la tarde. En recepción ambos se mostraron muy locuaces y extrovertidos. Lo primero que me preguntó el marido al firmar fue: «¿Cuál es el mejor restaurante de por aquí para comer langosta y filete?».

Luego, desde la pasarela de observación, después de que regresaran del restaurante, vi cómo la mujer entraba en el cuarto de baño y dejaba la puerta abierta.

Él se quedó cerca de la entrada del cuarto de baño y, mientras estaba sentada en el retrete, ella extendió el brazo y comenzó a acariciarle el pene por fuera de los pantalones.

Él sonrió y preguntó: «¿Ya estás caliente otra vez?».

«Yo siempre estoy caliente», dijo ella, y cuando se acercó, le bajó la cremallera de la bragueta, le sacó el pene y comenzó a practicarle sexo oral... mientras seguía sentada en el retrete. Era una experta felatriz. Le provocó un orgasmo mientras él estaba de pie, en menos de cinco minutos.

«Cuando te has corrido, me ha sabido al ajo que has tomado en la cena», dijo ella.

«Bueno —dijo él—, con esa mamada casi me succionas la barriga».

Luego, en la cama, mientras veían la tele, ella constantemente le sujetaba o le acariciaba el pene, que permanecía flácido. Pero en cuanto ella se lo puso en la boca, él tuvo otra erección. Acto seguido ella se le colocó encima y controló los movimientos hasta que consiguió lo que pareció un superorgasmo. Esta vez él no tuvo ningún orgasmo, pero luego él se puso encima y sí tuvo un orgasmo, el segundo en las últimas dos horas.

Conclusión: Esta mujer posee un gran apetito sexual. No tiene ningún complejo y su marido al parecer es suficiente para ella. Probablemente es un buen matrimonio en una situación feliz, siempre y cuando él pueda satisfacerla. Son una pareja de lo más interesante. Ojalá se hubieran quedado más tiempo.

Veintiuno

La decepción que experimentaba el Voyeur con algunos huéspedes, sobre todo con las parejas espectaculares pero sexualmente mal combinadas, quedaba borrada por el placer que experimentaba al presenciar momentos de desenfreno sin paliativos. Un matrimonio de Texas —dijeron que estaban de vacaciones, solo de paso— cautivó al Voyeur: ella era una mujer sexualmente voraz que sabía lo que quería y no dejaba lugar a dudas; él era una pareja cómplice en la búsqueda del placer.

El marido era un tipo de 1,80 y unos 90 kilos, vestido de manera informal, mientras que la esposa era una despampanante pelirroja de 1,65 con un cuerpo de curvas espléndidas y la boca grande. El Voyeur estaba impaciente por ver a esa pareja en la intimidad, pero también quedó decepcionado cuando en recepción se fijó en que cada uno de ellos llevaba un paquete de cigarrillos.

El Voyeur detesta a los fumadores porque el humo sube e inunda la rejilla, convirtiéndose en una molestia tremenda. Debería haber leyes que protegieran a los no fumadores para que sus derechos no se vieran continuamente violados, pero, por desgracia, en el estado de Colorado no hay ninguna medida contra ello, y, en la intimidad de la habitación de su motel, los huéspedes hacen lo que se les antoja.

Desde la plataforma de observación, el Voyeur vio entrar a la pareja en la habitación. Cuando hubieron deshecho el equipaje, colocado sus cosas y salido a cenar, el Voyeur entró un momento en la habitación para comprobar la talla de sujetador de la mujer, que era una 90D.

El Voyeur, a fin de verificar lo escrito en su diario, de vez en cuando entra en una habitación para determinar y ratificar sus observaciones y ser lo más preciso posible. El Voyeur es muy concienzudo y sigiloso en su actividad, y ningún huésped ha descubierto jamás que alguien ha penetrado o se ha entrometido en su esfera íntima. Tal como ha afirmado muchas veces en el pasado, el Voyeur está orgulloso de su habilidad a la hora de conseguir que ningún huésped observable o no observable haya experimentado daño o sufrido mentalmente por culpa de las rejillas. Ese era un requisito previo por parte del Voyeur, y sin la garantía de que el laboratorio de observación no sería descubierto, no lo habría construido ni mantenido.

Exceptuando el tamaño considerable de sus pechos, la mujer era menuda y guapa. El Voyeur no se podía creer que una mujer que se aproximaba a la mediana edad pudiera parecer tan apetecible ni estar en tan buena forma atlética. La mujer se quitó la falda y las bragas. Poseía una abundante cantidad de vello en la zona púbica, que era de un color rojo claro.

La mujer se relajó en la cama junto al sujeto masculino, y colocó los dedos en la carne dura y erguida de su pene. Comenzó a tocarlo y acariciarlo cuidadosamente, al parecer sin querer herir su virilidad. Abrió despacio la boca y empezó con una felación: la lengua describía círculos continuos, chupaba el órgano fálico arriba y abajo, llegando hasta el extremo superior del pene y bajando hasta el inferior. Lo chupaba por el lado derecho y luego por el izquierdo. La parte superior, la inferior, la punta y la base. Y cuando acabó de recubrir el pene de saliva, lo engulló totalmente al estilo garganta profunda. El cuerpo del hombre se estremeció y tembló mientras la boca de ella seguía absorbiéndolo.

Luego él le acarició suavemente los bulbos de sus grandes pechos, de manera que los poros de la piel de la mujer parecieron abrirse al tacto de sus dedos, antes de apretár-

selos con más fuerza mientras comenzaba a mover la cadera al ritmo de la acariciante boca de ella. El hombre se deslizó hacia abajo, el pene salió de la boca ensalivada, y él le separó suavemente las piernas mientras su lengua se arrastraba hacia su vagina.

«Es maravilloso —dijo ella—. Hazlo. Chúpamelo, chúpamelo».

Ella movió la cabeza de manera incontrolable de un lado a otro, sus manos encontraron la cabeza de él y enredó los dedos en su pelo al tiempo que abría más los muslos y los levantaba. Se le marcaban los tendones del cuello mientras gritaba: «Oh, oh, oh», y acto seguido alcanzó un orgasmo entre gemidos. El sujeto masculino de inmediato entró en ella poniéndose encima, y tras una serie de rápidas acometidas, ella gritó: «¡Lléname con tu leche, lléname!».

El hombre accedió y tuvo un tremendo orgasmo, antes de derrumbarse encima de ella.

Al cabo de unos cinco minutos, el hombre sacó el pene de ella y rodó a su lado de la cama. Luego buscó una toalla en el cuarto de baño y se limpió los órganos sexuales. Las fosas nasales del Voyeur temblaron cuando les llegó el excitante olor del sexo consumado. Pero entonces el sujeto masculino rebuscó en sus ropas hasta encontrar la cajetilla de cigarrillos. Encendió dos y le pasó uno a ella. La mujer aspiró el humo hacia sus pulmones y suspiró pesadamente, como si dijera: «El sexo ha terminado de momento, y ahora volvemos a la realidad y tenemos que enfrentarnos a la futilidad de la vida».

Conclusión: He aquí una pareja sexualmente educada y liberada que demuestra la totalidad de su amor mutuo aprovechando el sexo al máximo. Son una prueba de la capacidad de liberarse de las inhibiciones y la ignorancia sexual que han encadenado a muchos individuos. El Voyeur quedó impresionado por su pasión sexual, pero deseó que no le hubiera llegado a través del humo de sus cigarrillos.

Veintidós

Las tendencias y las modas frecuentemente se abrían paso hasta las habitaciones del motel Manor House. Gracias al modelo de Polaroid portátil y plegable SX-70 —considerado tan revolucionario que en 1972 apareció junto con su creador, el doctor Edwin Land, en la portada de las revistas *Time* y *Life*—, la fotografía instantánea fue una de esas modas. «La llegada de la cámara Polaroid ha tenido una enorme influencia en la vida de ciertos individuos», escribió el Voyeur en su diario, observando que «ha presenciado cómo sujetos de todas las clases y condiciones utilizaban la cámara Polaroid para registrar su actividad sexual», aunque «obedeciendo más al deseo sexual del hombre que al de la mujer».

Pero en un ejemplo memorable, el Voyeur observó a una joven muy atractiva, una estudiante universitaria que esperaba en el motel a que empezara el trimestre y que obtenía placer del acto de mirarse.

> *Es una mujer blanca de 21 años, 1,70, unos 50 kilos, ojos verdes, pelo rojo y tez lechosa. El Voyeur lleva observándola tres días, y durante este tiempo no ha llamado a nadie por teléfono ni ha tenido visitas. Al parecer no conoce a nadie en la zona porque es una estudiante de primer año de la Universidad Femenina de Colorado en Denver, y aparte de cuando sale de la habitación para ir a comer algo, generalmente se pasa el tiempo en el cuarto leyendo, viendo la tele y, por desgracia, fumando.*
>
> *Por solitaria que parezca, no es tan tímida con su cuerpo, porque a menudo se pasea desnuda. De hecho,*

parece muy interesada en observar todas las partes de su cuerpo en el espejo. Ayer, mientras se miraba, quitó el espejo del tocador y lo colocó junto a la pared que hay al lado de su cama para poder mirarse mientras se masturbaba.

Lo hace de la siguiente manera. Primero estimuló el clítoris con el dedo corazón de la mano derecha, y entonces pareció excitarse. A continuación utilizó una regla larga para estimular los dos pezones a la vez (con una mano), pasando la regla repetidamente sobre sus pezones erectos. Tenía las piernas muy separadas: las rodillas dobladas hacia fuera y la espalda arqueada. No se movió mucho mientras se masturbaba, aparte de mirarse al espejo, casi como si encarnara a otra persona.

Cuando llegó al orgasmo, levantó las caderas y los dedos de los pies se doblaron hacia abajo. Al cabo de diez minutos lo repitió y tuvo otro orgasmo. Cuando se acercaba al orgasmo pasaba la lengua por los labios y la mueca se le quedaba en la cara.

Esta tarde, mientras la observaba, he visto que estaba más deprimida que antes. Tiene el pelo revuelto y ha estado soltando flatulencias a diestro y siniestro y sin la menor vergüenza. Supongo que no lo haría si hubiera alguien más en la habitación.

Al final, la tercera noche, pone una conferencia para hablar con alguien de Wisconsin. Puede que sean sus padres u otros familiares. Les dice que se encuentra bien, que tiene ganas de empezar las clases, y que está a punto de irse a una fiesta. Lo de la fiesta es mentira, claro, pero parece sincera. Mientras habla se hurga la nariz y se limpia con mi colcha. Después de colgar se pone a dar vueltas por el cuarto, y tiene lágrimas en los ojos.

Luego ha vuelto a la cama, ha visto la tele y encendido un cigarrillo.

Conclusión: Lo está pasando mal, es evidente, adaptándose al nuevo entorno de Denver, y se la ve un tanto superada por la depresión y la soledad. Pero la masturbación parece llenar parte de ese vacío, al menos de manera temporal. Tras observar a muchos sujetos, mi estudio concluye que las mujeres tienen tendencia a masturbarse más por depresión que otra cosa. Los hombres se masturban puramente por alivio físico. Este sujeto femenino en concreto, al masturbarse delante de un espejo, obtiene una segunda perspectiva..., y yo, en el desván, una tercera.

Veintitrés

A lo largo de su época como voyeur residente en el motel Manor House, Gerald Foos a menudo tuvo ocasión de reflexionar sobre la guerra de Vietnam. Desde la esposa de aquel soldado postrado en silla de ruedas que le había hecho el amor de manera tan tierna y delicada hasta la solitaria viuda de guerra que contrataba los servicios de un gigoló, sus huéspedes le llevaron a adoptar una postura sistemáticamente crítica sobre los efectos de la guerra.

No solo los cuerpos de los combatientes o sus familias quedaban afectados; la falta de piedad de dos pilotos, la crueldad con que se regodearon en la destrucción, hicieron mella en él, incluso mientras su actividad sexual reafirmaba lo que pensaba del voyeurismo.

> *Le asigné la habitación 6 a una atractiva pareja que venía de Rangley, en el noroeste de Colorado. El hombre era rubio y apuesto, y medía más o menos 1,80, y la mujer al menos medía 1,75, y tenía el pelo largo y castaño y los ojos grandes y almendrados. Cuando hablamos el hombre me dijo que asistía a un encuentro de la Reserva en Denver —había sido piloto en Vietnam—, y su acompañante trabajaba en un colegio universitario.*
>
> *También dijeron que luego se les uniría un amigo, también piloto, y que necesitaría una habitación. Así que, después de que me dieran su nombre, le reservé la habitación 7, contigua a la de la pareja, y que disponía de unas puertas que la comunicaban con esta.*

Para cuando subí a la plataforma de observación, la mujer se estaba quitando las botas de esquí y las medias y se recostaba sobre la cama.

El rubio estaba en el cuarto de baño, quejándose de dolor de cabeza, y dijo: «Necesito comer algo. Me sentiré mejor».

Así que ella se puso las botas y los dos salieron de la habitación, para regresar más o menos una hora más tarde. No mucho después de su retorno, llamaron a la puerta. Era su amigo, un hombre alto de pelo oscuro que rondaba los 30. Tras un cálido recibimiento en la puerta, el hombre entró y los tres estuvieron una hora sentados charlando, aun cuando el televisor se quedó encendido todo el tiempo.

Los hombres hablaron sobre todo de volar, con algunas referencias a misiones en helicóptero en Vietnam. El hombre que había reservado la habitación 7 incluso recordó que en una ocasión arrojó de su aparato a un soldado del Viet Cong. El tema me revuelve las tripas.

El rubio de la habitación 6, que al parecer ahora trabaja en algún lugar de Colorado como instructor de vuelo, describió en detalle su deporte favorito, que era perseguir y disparar a los coyotes desde su helicóptero. También dijo que le gustaba perseguirlos en dirección a un acantilado de ciento cincuenta metros de altura y ver cómo se despeñaban para morir. «Aquellos coyotes estaban tan obsesionados y desesperados por eludir el helicóptero que conseguía empujarlos hasta el borde, y fue una pasada ver cómo caían rodando y chocaban unos con otros al fondo del cañón.»

Esta desagradable conversación terminó a eso de las once. El tipo de pelo oscuro se levantó, dio las buenas noches y se fue a la habitación 7. La pareja de la habitación 6 comenzó a quitarse la ropa. Ella era realmente espectacular. Era alta y muy delgada, pero los pechos que asomaban por debajo de su suéter de esquí hacían que pareciera cualquier cosa menos delgada. Por fin se quedó desnuda. Antes de que él se metiera en la cama con ella, la mujer le pidió que apagara el televisor y las luces de la habitación, cosa que él hizo.

Abandoné el puesto de observación a toda prisa y fui al parking, donde entré en mi coche. Pero puesto que la plaza de aparcamiento de delante de la número 6 estaba ocupada, no pude enfocar las luces del coche hacia la habitación de la pareja, ahora en completa oscuridad. Pero cuando pasé por la 7, vi a través de las cortinas que su amigo había abierto desde su lado la puerta que comunicaba con el otro cuarto y apretaba la oreja contra ella, atento a los sonidos que procedían de la cama de la habitación de la pareja, y también tenía los pantalones bajados y el pene en la mano.

Al regresar a la plataforma, observé a través de la rejilla, y seguí escuchando; la mujer gemía de placer en la oscuridad, cada vez más alto, mientras su pareja le hacía el amor. No pude ver nada, desde luego, pero ella hacía mucho ruido, y al moverme para observar la habitación 7, pude ver al otro individuo, de pie con la cabeza apretada contra la puerta, masturbándose hasta llegar al orgasmo.

Conclusión: Esta observación deja patente mi opinión de que todos los hombres son voyeurs hasta cierto grado, y que lo demostrarán si se les concede la oportunidad. Pero este hombre, y su camarada piloto de la habitación de al lado, me repugnan. Su desprecio por los animales y el hecho de que arrojaran a un combatiente del Viet Cong de su helicóptero me llevan a desear que ojalá algún día esos dos hombres corran el mismo destino que esos coyotes.

Veinticuatro

El motel era un lugar al que los huéspedes acudían para llevar a término sus deseos más retorcidos. El Voyeur observó cómo un hombre, casado y con dos hijos, mantenía relaciones sexuales con uno de los muchos ositos de peluche que había llevado a la habitación. «Al parecer solo practicaba esa insólita depravación cuando viajaba, lejos de su familia», escribió el Voyeur.

En otro encuentro mucho más corriente, la enorme diplomacia de una mujer convirtió lo que podría haber sido una noche de vergüenza y decepción demoledoras para el ego en una noche de placer.

> *Un hombre blanco de aspecto digno y bien vestido, probablemente cerca de los 40, de 1,70 de estatura y al menos 80 kilos de peso, me contó que venía de Kansas City por negocios y necesitaba una habitación para pasar una sola noche.*
>
> *Lo acompañaba una atractiva mujer de unos 25 años que parecía de origen hispano, pero que hablaba un perfecto inglés. Los coloqué en la 11, que tiene camas dobles, y les concedí unos diez minutos para instalarse antes de subir a la plataforma para ver y oír lo que hacían.*
>
> *Cuando llegué, él hablaba por teléfono en voz alta, sentado en un lado de la cama. La mujer hispana deshacía una maleta colocada sobre la otra cama.*
>
> *«Mi mujer y yo acabamos de llegar —decía el hombre—. Acabamos de registrarnos en el motel y podríamos encontrarnos a las siete en el restaurante que le he mencionado. ¿Le parece bien?».*

La persona que había al otro lado de la línea, una mujer, dijo que le parecía bien, y que ella y su marido esperaban el encuentro con impaciencia.

Después de colgar, el hombre de Kansas City se volvió hacia su compañera y dijo: «Y ahora, déjame hablar a mí, y sigámosles la corriente en todo lo que quieran, ¿entendido?».

«Muy bien», dijo la mujer.

«Y no lo olvides: esta pareja cree que eres mi mujer, así que ve con cuidado con lo que dices. Además, no te preocupes por los extras que se les puedan antojar, porque yo te lo compensaré económicamente, ¿de acuerdo?»

«Muy bien», dijo la mujer.

El hombre parecía irritable y nervioso por el inminente encuentro con esa otra pareja. Le explicó a la mujer que no sabía nada de ellos, excepto que vivían en Denver y habían puesto un anuncio en una revista de intercambio de parejas. «Durante la cena veremos qué aspecto tienen, y si todos nos llevamos bien, vendremos aquí, ¿vale?»

Salieron de la habitación poco antes de las siete de la tarde, y regresaron poco después de las nueve. Unos cinco minutos más tarde, vi un Cadillac último modelo que aparcaba junto a la acera, delante de la habitación 11. Al regresar al desván observé que la pareja recién llegada tenía unos 45 años, y que ambos iban bien vestidos y tenían aspecto refinado, sobre todo la mujer. Su cara poseía una belleza clásica, una nariz aristocrática, pómulos pronunciados convenientemente atenuados, una hermosa barbilla, el cuello muy largo, unos ojos muy grandes y una tez que sería la envidia de cualquier modelo.

Pero después de haberse quitado la ropa —cosa que la pareja visitante hizo enseguida— comprobé que tenía los pechos muy pequeños y caídos. Después de que su marido se desnudara, y también la mujer hispana, los tres se tumbaron en la cama y comenzaron a acariciarse.

El hombre de Kansas City estaba en el cuarto de baño con la puerta cerrada, y cuando salió pareció sorprenderse al descubrir que los demás no solo estaban desnudos, sino que ya se acariciaban unos a otros.

«¡Uau! —exclamó, todavía vestido de pies a cabeza—. ¡Sí que ha ido rápido!».

Mientras empezaba a quitarse la ropa lentamente, observó que su amiga hispana comenzaba a hacerle una felación al otro hombre, mientras que la esposa de este, arrodillada junto a ellos, masajeaba con suavidad los testículos del marido. La chica hispana era de piel morena, de un intenso color chocolate, y en el centro de sus grandes pechos, sus pezones color castaño formaban un delicado círculo, y debajo se veía un denso bosque de vello púbico negro y rizado.

El Voyeur la encontraba increíblemente hermosa, y también excitante, sobre todo cuando movía la lengua alrededor de la punta morada del pene del hombre. La esposa de este, aunque aún tenía las manos en los testículos de su marido, movió la cabeza en dirección al individuo de Kansas City haciéndole una seña para que se les uniera.

Después de quitarse la ropa, el hombre avanzó hacia la cama con cierta vacilación, y al hacerlo notó la mano de la esposa del otro también en su escroto. Pero nada de lo que ella hizo con las manos, y luego con los labios, fue capaz de excitar su pene flácido.

El hombre estaba claramente avergonzado, pero aceptó la invitación de la mujer a colocar su cabeza entre las piernas de ella y participar con su lengua, cosa que hizo de manera un tanto mecánica; pero su pene seguía sin reaccionar, y quedó reducido al mero papel de espectador cuando la esposa desvió sus atenciones hacia su marido y la chica hispana en el trío que tenía lugar al otro lado de la cama, donde, durante los diez minutos siguientes, todo el mundo obtuvo un amplio grado de satisfacción.

El Voyeur observó todo esto a través de la rejilla, y sintió un poco de lástima por el sujeto de Kansas City. El pobre seguramente había tenido la esperanza, después de organizar todo aquello, de ser algo más que un simple espectador.

Después de que la pareja de Denver se hubiera vestido, despedido y salido de la habitación, el hombre de Kansas City le dijo en voz baja a su acompañante: «Esto del intercambio de parejas no ha conseguido excitarme. A lo mejor es que no es lo mío».

«Oh, no te preocupes —dijo su acompañante—. Yo te excitaré».

«Lo siento, pero me siento mal», añadió.

«No te sientas mal —dijo ella—. No necesitamos ese tipo de sexo».

A continuación prodigó una máxima atención a su pene, y con la lengua consiguió excitarlo y dejarlo rígido y tenso. La mujer no apartó la boca del dilatado pene hasta que el hombre hubo eyaculado dentro de ella, y posteriormente él comentó: «El mejor orgasmo que he tenido nunca».

Conclusión: Por lo que deduje de su conversación, el hombre de Kansas City a menudo se lleva a su amiga hispana a sus viajes de negocios. Aprovechó ese viaje en concreto para experimentar por primera vez con el intercambio de parejas. Es evidente que no consiguió, o no quiso, que su mujer participara en el intercambio, y la chica le sirvió de sustituta. Porque a la gente, sobre todo a los hombres casados, suele aburrirle el sexo rutinario con una sola pareja, y el intercambio tiene su utilidad. Pero el hecho de que este hombre no consiguiera alcanzar una erección probablemente le desanimará a participar en encuentros parecidos en el futuro.

El Voyeur, a fecha de hoy, no ha observado lo suficiente el sexo en grupo como para poder elaborar alguna hipótesis sobre los efectos del intercambio de parejas en el matrimonio de los participantes. Sean cuales sean los efectos, esta variación seguirá siendo practicada por ciertos adultos, y no habría que condenarla.

Veinticinco

Para Gerald Foos, el voyeurismo era un «vaticinio predecible. No tenía otra elección». Escribió que le hacía «sentir digno de crédito e importante».

«El Voyeur se siente fuerte y valiente en el laboratorio de observación, pero no se siente especialmente dominante en ningún otro lado, y su fuerza y valor cuando no se halla en el laboratorio de observación proceden del exceso de energía que le queda después de haber estado allí arriba.»

Cuando estaba encima de las rejillas, se veía como una especie de explorador de aguas desconocidas, «lo que la mayoría de personas temen y rechazan en sí mismas. Los tabúes. Los secretos. Los diablos y demonios. Lo sexualmente desconocido. La curiosidad. Hay que delegar en alguien la responsabilidad de enfrentarse a esas existencias tangibles y explicárselas a los demás. He ahí la esencia intrínseca del Voyeur».

Pero entre los miles de encuentros sexuales que presenció, hubo algunos que no le resultaron fáciles de observar.

> *Registré a una familia procedente de una zona rural del norte del estado de Nueva York y los puse en la habitación 11 con la tarifa semanal. El espacio lo componen dos camas dobles y una pequeña cocina adosada de dos por tres metros. La familia la forman un varón blanco y su esposa, ambos de unos 45 años; él, peón de unos 100 kilos de peso y aspecto pobre; ella, una mujer delgada de apariencia corriente y afable. Los acompañaban su hijo de 17 años, uno de esos chavales de pelo largo, y su hija de 14,*

que tiene el pelo negro y largo y es guapa y bien proporcionada para su edad.

Durante algunas observaciones irregulares y rutinarias, el Voyeur ha observado a esta familia, que soporta con paciencia el hecho de no tener el suficiente dinero para satisfacer todas sus necesidades. El padre acaba de comenzar a trabajar en la construcción, pero el frío y el tiempo inclemente, al que se suma la nieve, han desbaratado sus planes de tener un trabajo estable.

La mujer trabaja y cobra el dinero suficiente para pagar el alquiler de la habitación.

La familia discute y se queja a intervalos regulares. Necesitan más espacio e intimidad, lo que representa un problema constante y fastidioso en sus vidas. Los desahuciaron de su domicilio anterior por no pagar el alquiler, y su casero se quedó con todos sus muebles y pertenencias.

La vida sexual de los adultos es inexistente, en parte debido a sus problemas y también por la falta de intimidad. El hijo y la hija no van a la escuela, y se pasan el día en la habitación fumando hierba mientras los padres trabajan. Además, el hijo adolescente le ha estado comprando drogas a un traficante del barrio, que ahora quiere que las venda para él en las escuelas de la vecindad.

El Voyeur ha denunciado este plan al departamento de policía local, pero esta ha querido saber cómo el Voyeur estaba al corriente de la situación y la conocía con certeza. La policía ha dicho que no podía hacer nada porque era un testimonio de oídas, y eso no bastaba. Como es natural, el Voyeur no pudo revelar cómo había descubierto el plan.

Aproximadamente una semana después de que la familia se hubiera trasladado al motel, una tarde el Voyeur observó que el hijo adolescente y su hermana terminaban una partida de Scrabble que jugaban en la mesa de la cocina y se trasladaban a la cama para ver la televisión. Durante los veinte minutos siguientes, después de fumar algo de hierba, la conversación se volvió sexual, él comenzó a rodearle los hombros y por la fuerza le puso las manos en los pechos. A continuación le bajó el sujetador, reveló sus pechos y la empujó hasta tumbarla en la cama.

«Vas a hacérmelo, ¿verdad?», preguntó la chica. No parecía alarmada.

«¿No quieres que lo haga?», preguntó él.

«Hoy no —dijo ella—. Es muy tarde, y papá y mamá podrían llegar en cualquier momento».

«No, todavía es pronto para que vuelvan —dijo él— y no tardaré mucho».

El adolescente le quitó los pantalones a su hermana y extrajo un condón de la cartera, pero ella dijo: «Ahora no quiero hacerlo».

A pesar de las objeciones de la chica, él echó a un lado los pantalones y las bragas y no tardó en penetrarla. Le agarró las piernas y se las colocó sobre los hombros, y acto seguido la embistió.

«Me duele», gritó ella. Los gemidos de él, mezclados con los gritos de ella, eran audibles para el Voyeur en su puesto de observación. Al cabo de cinco minutos de empujar con fuerza, el chico tuvo un orgasmo.

Los dos permanecieron unidos un rato, todavía en posición de coito. Ella entonces lo apartó de un empujón, pues quería que se levantara. Él sacó el pene y el condón se le salió, y parte quedó dentro de ella.

«No te muevas», dijo él mientras lo sacaba.

«Siempre se te queda ahí dentro», dijo ella.

Tras coger el condón, el adolescente lo arrojó por el váter. Ella enseguida se puso las bragas y los pantalones. Él regresó al dormitorio, se tumbó junto a ella y siguieron viendo la televisión.

Conclusión: La familia de la habitación 11 se quedó una semana más, antes de partir hacia un destino y un triste futuro desconocido para el Voyeur. El hijo y la hija de la pareja, verdes en años pero ya completamente inmer-

sos en la cultura de la droga y la permisividad sexual de los setenta, sufren enormemente al no poder ir a la escuela y tener permiso para pasarse el día sentados fumando hierba. La forma más común de incesto tal vez sea entre hermano y hermana, sobre todo en familias pobres en las que los hijos de distinto sexo han de compartir el mismo dormitorio.

Veintiséis

En el informe anual del Voyeur de 1977 —y en concreto la tarde del jueves del 10 de noviembre de 1977—, hay una referencia a una situación en la que, por primera vez en su vida, el Voyeur vio más de lo que deseaba.

Lo que vio fue un asesinato.

Ocurrió en la habitación 10.

Describió a los ocupantes como una pareja blanca, joven y atractiva que había alquilado la 10 durante varias semanas. El hombre era delgado y medía metro ochenta, tenía veintipocos años y pesaba unos 80 kilos. El Voyeur dedujo de su conversación que el varón había abandonado la universidad y era un camello de poca monta. La hembra era una rubia bien proporcionada con una figura de 85D-55-90. El Voyeur había comprobado y verificado la talla de sujetador tras entrar en la habitación mientras la pareja estaba fuera.

La pareja exhibió una vigorosa vida sexual, y se entregaba al sexo oral y al coito al menos una vez por noche desde su llegada, y el Voyeur lo relató con aprobación. Sin embargo, también describió que a veces se vendía droga a gente que visitaba la habitación 10, y, aunque el Voyeur estaba muy molesto por lo que veía, en ningún momento se le ocurrió notificarlo a la policía. En el pasado ya había denunciado el comercio y uso de drogas (el caso más reciente era el del adolescente de la 11 que mantenía relaciones sexuales con su hermana), pero la policía no había hecho nada porque el Voyeur no podía identificarse como testigo de la denuncia.

Sin embargo, la tarde del 10 de noviembre de 1977, tras observar que en la habitación 10 se vendía droga a unos jóvenes, uno de los cuales no aparentaba más de doce años, Gerald Foos escribió en el *Diario de un voyeur:*

> *El Voyeur estaba enfadado y decidió que él mismo tomaría cartas en el asunto para impedir que el camello de la 10 siguiera vendiendo drogas.*
>
> *Después de que el varón abandonara la habitación, el Voyeur entró en ella. Sabía exactamente dónde estaban escondidas las drogas. El Voyeur, sin el menor sentimiento de culpa, arrojó las drogas y la marihuana que quedaban al váter. Había aproximadamente diez bolsas de marihuana y muchas otras pastillas variadas, todo lo cual acabó sepultado en el agua.*
>
> *Aquello llenó de satisfacción al Voyeur, y su único deseo entonces fue poder presentarse en los millones de lugares donde existían drogas y destruirlas todas. Anteriormente el Voyeur había eliminado las drogas de otros traficantes, pero estos villanos no habían sospechado de él. Se habían limitado a abandonar el motel, pensando que habían perdido las drogas o que alguno de sus conocidos más directos se las había robado. No lo habían notificado a la policía ni se habían quejado. Tan solo habían abandonado el motel sin saber qué había ocurrido con su peligrosa mercancía.*
>
> *Al describir la situación que ha tenido lugar entre el sujeto masculino y el femenino en la habitación 10, el Voyeur va a ser muy breve, y solo afirmará que el sujeto masculino ha culpado a la mujer por quedarse con las drogas desaparecidas. Tras reñir y discutir durante una hora, la escena que discurría debajo del Voyeur pasó a ser violenta. Fue una experiencia horrible, muy desagradable y espantosa: el varón blanco le dio un golpe en la cabeza a la mujer que la dejó aturdida, y ella gritó: «Me has hecho daño, no lo repitas», y él replicó: «¿Dónde están mis drogas, zorra? Dímelo o te mato». Ella le dijo: «¡No lo sé! Yo no he hecho nada con ellas».*

Él no la creyó y siguió pegándole en la cara. Entonces, de repente, ella le dio una patada en la entrepierna, y él se puso realmente furioso. El sujeto varón agarró a la mujer por el cuello y la estranguló hasta que cayó inconsciente al suelo.

Al varón le entró el pánico, recogió todas sus cosas y abandonó las inmediaciones del motel.

El Voyeur, mientras observaba por la rejilla, y sin la menor duda, pudo ver el pecho de la mujer subiendo y bajando, lo que indicaba que todavía estaba viva y que por tanto no pasaba nada. Así fue como el Voyeur quedó convencido de que la mujer había sobrevivido a la estrangulación y se encontraría bien, y rápidamente abandonó la plataforma de observación y no volvió en toda la noche.

En cuanto llegó a la oficina del motel, el Voyeur se detuvo a considerar con atención lo que había observado, y al recapacitar consideró sin la menor duda que la mujer estaba bien, y que, si no estaba bien, él tampoco podía hacer nada, porque en ese momento no era más que un observador y no un reportero, y por lo que se refería a los sujetos masculino y femenino, él no existía.

A la mañana siguiente, la camarera que limpiaba las habitaciones entró corriendo en la oficina del motel y dijo que había una mujer muerta en la 10. El Voyeur llamó inmediatamente a la policía, que inició una concienzuda investigación. El Voyeur solo pudo proporcionar el nombre del varón que había ocupado la habitación con la mujer, su descripción, la marca del coche, la matrícula, y afirmar que estaba en la habitación con la mujer la noche en que la mataron. El Voyeur no pudo confesar que, la noche anterior, él había presenciado la agresión del varón.

El Voyeur había acabado aceptando su propia moralidad, y tendría que sufrir para siempre en silencio, pero no condenaría nunca su conducta y comportamiento en esa situación.

Después de que la policía comprobara sus pistas, regresaron al motel para informar.

Toda la información era falsa. El sospechoso utilizaba un nombre falso, una dirección falsa, y una matrícula falsa en un coche robado.

Cuando leí este relato en Nueva York, unos años después de visitar a Gerald Foos en Aurora —y casi seis años después del asesinato—, me quedé escandalizado y sorprendido. Me dije que la reacción pasiva e irresponsable del Voyeur ante el desastre de la habitación 10 se parecía al comportamiento que mostraron los testigos de un crimen en Nueva York cuando la encargada de un bar, de veintiocho años de edad y cuyo nombre era Kitty Genovese, fue atacada por un hombre con un cuchillo en medio de la calle, en Queens, poco después de las tres de la madrugada del 13 de marzo de 1964.

Aunque posteriormente se pusieron en entredicho algunos hechos del caso —entre ellos que la estimación inicial de que había treinta y ocho testigos del asesinato era exagerada—, lo que no admitía duda era que varias personas de Queens habían visto al menos en parte aquella brutalidad desde las ventanas de sus apartamentos, y que ninguno de ellos había salido a la calle a tiempo de rescatar ni ayudar a la joven, que se desangró hasta morir. El *New York Times,* que dio a conocer la noticia, citó a un vecino sin identificar que le dijo a otro vecino que telefoneara a la policía porque «yo no quiero involucrarme».

La explicación que da Gerald Foos en su diario —de que «no era más que un observador y no un reportero», y que «por lo que se refería a los sujetos masculino y femenino, él no existía»— no me sorprendió, pues a menudo había expresado la idea de que era un individuo escindido, una combinación híbrida del Voyeur y de Gerald Foos, y, además, quería proteger con uñas y dientes su vida secreta en el desván. Si la policía le hubiera interrogado y decidido que Gerald sabía más de lo que les estaba contando, quizá habrían obtenido una orden de registro y explorado su propiedad, incluido el desván, y las consecuencias podrían haber sido catastróficas.

Telefoneé a Foos de inmediato para preguntarle por la situación. Quería averiguar si se daba cuenta de que, además de haber presenciado el asesinato, quizá, en cierto modo, lo había provocado. Se mostró reacio a decir más de lo que había escrito en su diario, al tiempo que me recordaba que yo había firmado un acuerdo de confidencialidad. Él también podría haberme recordado que yo ahora era cómplice de cualquier delito que él hubiera cometido. Pasé unas cuantas noches sin dormir, preguntándome si debía delatar a Foos o seguir respetando el acuerdo que me había pedido que firmara en la recogida de equipajes de Denver en enero de 1980. Pero aun cuando en cierto modo hubiera provocado la muerte de la joven arrojando las drogas al retrete, no hubiera impedido que su novio la estrangulara, y, con absoluta desidia, tampoco hubiera llamado para pedir ayuda hasta el día siguiente porque afirmaba haber visto cómo el pecho de la mujer subía y bajaba, yo no creía que Gerald Foos fuera un asesino. Y le había dicho a la policía todo lo que sabía acerca de la identidad del traficante de drogas y su novia..., aunque ya demasiado tarde para salvarla.

Archivé sus notas sobre el asesinato junto con el resto del material que me había enviado ese mismo año. Ahora sabía todo lo que quería saber sobre el Voyeur.

Cuando me enteré del asesinato estaba inmerso en una investigación para otro libro, y al poco tiempo tuve que salir del país. Tenía planeado escribir acerca de la inmigración de los italianos a los Estados Unidos de final del siglo XIX y principios del XX, una historia que incluía las experiencias personales de mis abuelos y mis padres, así como recuerdos de mi niñez en la costa de Nueva Jersey durante la Segunda Guerra Mundial, mientras los dos hermanos pequeños de mi padre estaban en el ejército italiano intentando resistir la invasión aliada.

En 1982, cuando acabé de entrevistar a mis padres y otros parientes que se habían establecido en los Estados Unidos, alquilé un apartamento en Roma y luego en el sur de Italia para saber más de las vidas de mis parientes que habían permanecido en su país. En el invierno de 1985 alquilé una casa en Taormina, Sicilia, durante cinco meses, para empezar a escribir el libro que años después se publicaría con el título de *Los hijos*. Me acompañaba en Taormina mi esposa, Nan, editora en Houghton Mifflin, que siguió trabajando para su empresa de Boston llevando a cabo labores de lectura y edición en Sicilia; y entre nuestros esporádicos invitados se hallaba nuestra hija de veintiún años, Pamela, que en aquel entonces estaba de prácticas en el *Paris Tribune,* y Catherine, nuestra hija de dieciocho años, estudiante de segundo curso en el Bard College.

Pero durante esos años, desde los ochenta y durante los noventa, si me encontraba en Nueva York o fuera del país, el correo seguía trayéndome saludos e información sobre lo que Gerald Foos continuaba observando desde su desván de Aurora, Colorado. Me relató que hasta ese momento la policía no había conseguido dar con el hombre que había matado a la mujer de la habitación 10, pero que había tenido que solicitar su presencia en el motel Manor House por otros asuntos.

Mencionó que un huésped varón se había suicidado de un disparo con una pistola. Comentó que un huésped de más de doscientos veinte kilos había sufrido un fatal ataque al corazón, y que su cuerpo, tras abotagarse durante la noche, no había cabido por la puerta, por lo que habían tenido que sacarlo por la ventana principal del dormitorio para poder introducir el cadáver en el vehículo del forense. Un huésped, un hombre casado con dos hijos, había muerto al enfrentarse a un ladrón. La disputa había despertado a su familia, que había escuchado el disparo que acabó con su vida. Gerald Foos también informó de que otro huésped había muerto mientras se masturbaba, desplomándose con los dedos tan rígidos aferrados al pene que el personal de la ambulancia se había visto obligado a llevárselo en esa posición.

Además de todos estos hechos, Gerald Foos se quejaba de haber sido testigo de otras instancias del comportamiento humano desagradables o aterradoras, entre las que se incluían el robo, el incesto, el bestialismo y la violación, e, incluso entre parejas que teóricamente consentían, ejemplos de explotación sexual. Gerald Foos consideraba que la legalización de la píldora anticonceptiva, ocurrida a principios de los años sesenta, de la que era partidario pese a ser católico romano practicante, alentaba a muchos hombres a creer que tenían derecho a tener relaciones sexuales a voluntad. «Sí, la píldora permitía a las mujeres controlar su fertilidad —admitía—, pero ellas también asumían casi toda la responsabilidad, y la culpa, si de manera accidental quedaban embarazadas. El hombre de su vida le preguntaba: "¿Has tomado la píldora, cariño?", y luego asumía que el tema estaba solucionado: que tenía luz verde para el sexo, un orgasmo rápido y a dormir. Las mujeres habían ganado el derecho legal a elegir, pero habían perdido el derecho a elegir el momento adecuado».

En los años en que sus padres se cortejaban, y también cuando él mismo salía con Barbara White en el instituto, Foos señalaba que el miedo al embarazo y la ilegalidad del aborto eran dos factores clave a la hora de explicar por qué el sexo premarital era tan escaso. Si las parejas solteras se quedaban embarazadas, en casi todos los casos se consideraba moralmente ineludible, si no legalmente obligatorio, legalizar esa relación mediante el matrimonio.

Gerald Foos relataba que cuando su madre, Natalie, tenía diecisiete años y vivía en la granja practicaba el método Ogino con su novio, Jake, pero «cometió un error», y cuando se casó, en 1934, ya estaba embarazada de cinco meses de Gerald. Este añadió que a pesar del hecho de que la disponibilidad de la píldora y la redefinición de los criterios morales de los años sesenta contribuyeron a la desaparición del matrimonio «de penalti» en los Estados Unidos, no tenía tan claro que la revolución sexual hubiera producido nada que refutara su visión negativa de lo que veía desde su desván y que luego anotaba en su *Diario de un voyeur*.

Entre los años setenta y los ochenta, los habitantes de nuestro país iniciaron una guerra entre ellos. Libraron batallas con palabras e imágenes, mediante la ley y la política, acerca de qué convertía a los hombres y a las mujeres en ciudadanos del país con plenos derechos. A lo largo de dos generaciones discutieron y se pelearon por todo, desde el papel de la mujer en el mercado laboral hasta su intento de controlar la reproducción, gracias a la píldora, y desde el papel del hombre como sostén de la familia hasta si podían amarse unos a otros y casarse, y otras cosas y asuntos como el género, el sexo y la familia.

Durante las muchas noches que el Voyeur pasó observando a los sujetos que veía debajo de las rejillas, pudo confirmar en repetidas ocasiones esas permanentes disputas entre hombres y mujeres, que se caracterizaban por unas relaciones e interacciones sexuales desdichadas, mientras al mismo tiempo pocas cosas parecían ir bien en lo que concernía a sus responsabilidades y trabajos en el mundo exterior. Cuando estaban en la cama, se pasaban horas viendo la televisión. Cuando los hombres estaban solos veían la televisión y se masturbaban. Cuando las mujeres estaban solas también se masturbaban, aunque no tanto. Pero creo que ambos sexos se masturban ahora más que nunca. Las únicas parejas que parecen disfrutar de darse placer en la cama, y que poseen la paciencia y el deseo de provocarse orgasmos unas a otras, son las lesbianas.

Veintisiete

En cuestiones de higiene personal, integridad y honestidad, pocos huéspedes sacaban buena nota según el criterio del Voyeur. En una ocasión introdujo una revista pornográfica dentro del cajón de la mesa de una habitación en la que se habían registrado un pastor de la Iglesia y su esposa. El pastor descubrió la revista mientras su mujer estaba fuera, se masturbó rápidamente con el póster central y a continuación introdujo la revista en su maletín. Más adelante se quejó a su esposa de la «repugnante» revista que alguien se había dejado, y juró devolverla a la oficina con una queja..., cosa que nunca hizo.

En otra ocasión, dos muchachas de aspecto presentable que rondaban los veinticinco años se presentaron en recepción y le preguntaron a Donna si podían echar un vistazo a una habitación antes de registrarse. Normalmente aquello iba en contra de la política del motel, pero Donna lo pasó por alto y les entregó una llave. Mientras el Voyeur las observaba desde arriba, las mujeres entraron en la habitación y se dirigieron a toda prisa al cuarto de baño, ambas «desesperadas por aliviarse» por culpa de la cerveza que, admitieron, habían tomado a la hora de comer.

Mientras una de ellas se sentaba en el retrete, la otra se acuclillaba sobre una papelera de plástico que había delante del lavamanos. Cuando la segunda mujer terminó y se puso en pie, derribó por accidente la papelera con el talón, con lo que una abundante cantidad de orina se desparramó por el suelo del cuarto de baño y fue a parar a la moqueta del dormitorio. Al principio, las dos mujeres parecían demasiado atenazadas por el pánico como para moverse. Pero tras limpiar parte de la orina con las toallas y arrojarlas sobre la cama, se marcharon a toda prisa después de devolverle la llave a Donna con la explicación de que volverían más tarde. Antes de marcharse, sin embargo, el Voyeur se plantó delante de ellas en el aparcamiento y de manera cortés pero firme las invitó a regresar a la habitación y reemprender las tareas de limpieza.

Aunque le disgustaba mucho ver a los huéspedes masculinos orinar en el lavabo, cosa que los hombres hacían de manera rutinaria cuando se alojaban solos en una habitación, su cólera también se dirigía a los diseñadores y fabricantes de la industria del retrete, que al parecer eran incapaces o no estaban dispuestos a abordar los retos a que se enfrentaba un hombre cuando estaba delante de un retrete doméstico estándar, que a casi todo el mundo le llega a la altura de la espinilla, y posee un agujero de forma oval que mide aproximadamente veinticinco por treinta y tres centímetros. Orinar en su interior resulta todavía más aventurado por las mañanas, explicaba el Voyeur, pues muchos hombres, y sobre todo los jóvenes, se levantan de la cama con una erección.

«No puedes mear en línea recta si tienes una erección —explicó—, y por eso muchos prefieren mear en el lavabo, pues al quedar a la altura de la cintura resulta más fácil atinar. Si por mí fuera, diseñaría un inodoro doméstico más parecido a los urinarios verticales que encontramos en los lavabos de caballeros de los edificios públicos. En la parte de delante seguiría habiendo una taza para sentarse, pero en la parte de atrás habría una tapa de retrete de tamaño ancho que, después de levantarla y colocarla en posición vertical, te permitiría mear contra ella y dejar que la orina rebotara y cayera en cascada dentro de la taza».

Pero le resultaba difícil excusar a los huéspedes del motel cuyos ofensivos hábitos consistían en ingerir comida rápida de los envases y luego limpiarse los dedos grasientos en la ropa de cama, y también a los propietarios de animales domésticos que no limpiaban completamente las manchas de la moqueta de la habitación provocadas por sus perros al orinar y defecar.

Se enfrentaba a un dilema cada vez que un huésped se acercaba a la recepción acompañado de un perro. ¿Debía mentirle y decirle que no había habitaciones disponibles, y por tanto regalarle un cliente a los moteles de la competencia, todos los cuales daban la bienvenida a los animales domésticos? ¿O debía asignarles alguna de las doce habitaciones con rejilla y vigilar de cerca las costumbres evacuatorias del animal?

El problema de vigilar lo que hacían los perros era que estos a menudo parecían darse cuenta de que los observaba desde el desván. Al tener un oído y un olfato muy desarrollados, los perros solían levantar el hocico hacia la rejilla y se ponían a ladrar, con lo que el Voyeur, mientras estaba inclinado sobre la rejilla, se quedaba petrificado en esa posición y procuraba no respirar. Si el perro seguía ladrando, o si se alzaba sobre las patas traseras y comenzaba a dar saltos sobre la cama, el Voyeur reptaba hacia atrás lo más silenciosamente posible, con la esperanza de que su retirada apaciguara al animal y lo alentara a obedecer las advertencias de su amo de que dejara de hacer ruido.

Pero aparte de la presencia de mascotas y los ultrajes al cuarto de baño, la principal queja del Voyeur en cuanto que propietario de motel —una queja que expresó en cartas, notas en su diario y esporádicas llamadas telefónicas— era la convicción de que casi todo lo que veía y oía mientras espiaba a sus huéspedes eran palabras, frases y rasgos de personalidad repulsivos, impostados, hipócritas, de falsa adulación o del todo deshonestos.

«La gente es básicamente deshonesta y sucia; engañan y mienten motivados tan solo por el propio interés —comentó—. Forman parte de un mundo de fantasía de exagerados, embaucadores, intrigantes, ladrones y gente que en privado muestra una cara distinta a cuando está en público». Insistía en que cuanto más tiempo pasaba en el desván más desengañado y misántropo se volvía. Afirmaba que, como resultado de sus observaciones, se había vuelto extremadamente antisocial, y cuando no estaba en el desván procuraba evitar a sus huéspedes en el aparcamiento del motel, y en la recepción la conversación con ellos se reducía al mínimo.

Tan recurrente era el tema de la alineación y sufrimiento del Voyeur en su correspondencia y en sus comentarios, que acabé considerando que a lo mejor estaba al borde de una crisis nerviosa; a veces me lo imaginaba como el psicótico presentador de televisión de la película de 1976 *Network, un mundo implacable,* que explota diciendo: «¡Estoy más que harto, y no quiero seguir soportándolo!». También me recordaba ciertas obras literarias de tiempo atrás: el relato de John Cheever publicado en el *New Yorker* en 1947 titulado «La monstruosa radio», en el que un matrimonio se va sumiendo lentamente en la angustia al comprobar que su radio recién comprada les permite escuchar las conversaciones secretas de sus vecinos, que acaban afectándolos; y la novela de Nathanael West de 1933 *Miss Lonelyhearts,* en la que un periodista que escribe un consultorio para los lectores se convierte en un alcohólico inestable e irascible debido a sus frustraciones y sensibilidad con relación a las vidas vacías de sus lectores y sus dudosas soluciones.

Solo que, en el caso del Voyeur, me parecía que expresaba sus críticas a los demás sin ninguna ironía ni conciencia de sí mismo. Era alguien que fisgaba desde su desván y se arrogaba autoridad moral al tiempo que escrutaba y juzgaba con severidad a sus huéspedes, reservándose el derecho a curiosear con distancia e inmunidad.

¿Y cuál era mi papel en todo esto? Yo era el amigo por correspondencia del Voyeur, su confesor, quizá, o el complemento de una vida secreta que había decidido *no* mantener totalmente en secreto. Quizá me necesitaba como confidente, además de a Donna, su socia y esposa desde hacía mucho tiempo. Decía que la primera vez que le confesó a Donna que de niño merodeaba por la habitación de su tía Katheryn, su mujer se había quedado demasiado atónita para poder contestar. Simplemente se había reído.

A continuación le había preguntado:

—¿Quieres decir que hacías eso de niño? ¿No es lo que se llama un «mirón»?

A lo que él había contestado:

—No, es un viaje en mi exploración.

Y más adelante le había expresado su deseo de comprar un motel y convertirlo en un «laboratorio».

Eso fue al principio de su matrimonio, y cuando hubo encontrado el motel que quería, fue a ver a su mujer y le preguntó:

—¿Quieres participar conmigo? Tendríamos que mantenerlo en secreto. Solo tú y yo, y nadie más. No podrá ser de otra manera.

Donna se lo pensó un momento y le contestó:

—Desde luego, y así será.

Pero saltaba a la vista que esa relación exclusiva con Donna no era suficiente para él, y con el tiempo me invitó a compartir su intimidad y a través del correo me convirtió en una válvula de escape, en alguien que leía su versión de lo que veía y sentía, y que también compartía parte del dolor y la tristeza que experimentaba como hombre de familia. Me escribía para contarme los constantes problemas de su hija adolescente, Dianne, y en más de una ocasión, en cartas y llamadas telefónicas, se desahogó hablándome de su hijo universitario, Mark, que había pasado tres meses en la cárcel después de que él y algunos compañeros suyos de la facultad fueran arrestados por atracar un restaurante, presumiblemente para conseguir dinero para drogas.

—Que yo sepa, Mark nunca tomó drogas cuando iba al instituto —me dijo—. Durante el primer año en la universidad le fue bien. Pero en el segundo comenzó a relacionarse con unos auténticos capullos, capullos inteligentes, y acabaron cometiendo un robo a mano armada. ¿Por qué? Mark tenía una camioneta recién comprada, toda la ropa que quería, todo el dinero que deseaba, tenía toda la matrícula pagada. ¡Y va y comete un robo! ¿Hay que achacarlo a los valores de su familia? ¿Es culpa de su padre? ¿Es culpa de su madre? Mark tenía un gran potencial. Estudiaba para ingeniero petrolífero, un trabajo en el que el sueldo inicial son doscientos mil dólares al año. ¡Y él y sus amigos atracan un restaurante! Sacaron en total cuarenta y siete dólares.

Veintiocho

Durante esos años, debido a los frecuentes viajes entre Italia y los Estados Unidos, a veces me encontraba con meses de correspondencia atrasada, y a menudo me pasaba por la cabeza que lo más prudente sería interrumpirla. ¿Qué sentido tenía ese intercambio de cartas? Gerald Foos no era mi propiedad literaria. No era un sujeto sobre el que pudiese escribir a pesar de mi permanente curiosidad acerca de cómo acabaría. ¿Terminarían atrapándolo? Y si lo hacían, ¿cuál sería la estrategia de sus abogados en el juicio? ¿Era tan ingenuo como para pensar que el jurado aceptaría que su desván era un laboratorio en el que investigaba la verdad? Y además, si los fiscales descubrían nuestra correspondencia mientras rebuscaban entre sus archivos, ¿podrían citarme para declarar?

Desde luego, yo haría todo lo posible por evitarlo. Pero aunque él consiguiera evitar que lo descubriesen, como escritor tampoco me servía de nada, pues, como ya he mencionado antes, en mis libros y artículos yo insistía en utilizar nombres auténticos. Yo no era un escritor de ficción que se inventara identidades y creara situaciones. Era un escritor de no ficción que no imaginaba nada y que obtenía todo su material hablando con la gente y siguiéndola mientras hacía su vida. Yo no ocultaba nada a mis lectores: presentaba nombres y hechos auténticos que se podían verificar, o no había historia.

Sin embargo, cada vez que llegaba el correo y veía su dirección en el remite del sobre, lo abría sin dilación. Y, tras recibir una carta de Gerald fechada el 8 de marzo de 1985, me enteré con sorpresa y consternación de que Donna había muerto. Había fallecido el 27 de septiembre de 1984. Todavía no había cumplido los cincuenta y padecía lupus.

«Han pasado casi dos años desde la última vez que nos comunicamos», comenzaba la carta de Gerald, y aunque no percibí ningún tono recriminatorio en sus palabras, me pregunté por qué había tardado casi medio año en informarme de la triste noticia. Quizá me había escrito antes y el invitado que tenía en mi casa de Nueva York me había enviado la carta a Italia a una dirección incorrecta. En cualquier caso, Donna había muerto y la carta de Gerald incluía también una información adicional: «Hay una nueva mujer en mi vida».

De inmediato telefoneé a Gerald desde Nueva York para comunicarle mis condolencias por lo de Donna, y días más tarde le mandé una carta preguntándole con la mayor discreción si esa nueva mujer estaba al corriente de la existencia del Voyeur: «Su amiga actual ¿tiene la más remota noción de su interesante pasado?».

Al final averigüé que sí; y al igual que Donna antes que ella, no solamente aprobaba su fisgoneo, sino que a veces participaba con él en el desván. Todo esto no me lo contó enseguida; de hecho, me llevó docenas de cartas, varias conversaciones telefónicas y años de educada indagación por mi parte compilar un resumen de la vida de Gerald Foos desde mi única visita personal en 1980 hasta la carta que recibí en 1985 informándome de la muerte de Donna.

Su «nueva mujer» era una divorciada pechugona de metro sesenta y cinco, ojos verdes y pelo rojo, llamada Anita Clark, dieciocho años más joven que él. Nacida en Nebraska de padres de clase trabajadora, se había trasladado a Colorado cuando tenía siete años. Tras graduarse en el instituto de Aurora, había desempeñado trabajos esporádicos de niñera, auxiliar de clínica y ayudante de camarera en una cafetería de carretera. Fue en esa cafetería donde conoció a su futuro marido, un camionero con el que se casó en 1976, cuando ella tenía veinticuatro años.

Tres años más tarde la pareja se divorció, y, con una limitada pensión de manutención y sin trabajo, luchó sola por criar a sus dos hijos pequeños, de los cuales el mayor había nacido lisiado. Le faltaba una pierna a la altura de la rodilla, y la otra a la altura del pie. Cuando ese hijo cumplió cinco años, Anita vivía con él y su otro hijo de tres a base de cupones para alimentos en un parque de caravanas.

Una tarde, mientras paseaba a sus hijos en un carrito Radio Flyer por la avenida East Colfax, observó a un hombre subido a una escalera que cambiaba las letras del cartel del motel Manor House junto al acceso para coches. Tras saludar alegremente al hombre, que no era otro que Gerald Foos, este se bajó de la escalera y estuvo charlando un rato con ella. La mujer le presentó a sus dos hijos —el mayor se llamaba Jody, y el más pequeño, Will—, ambos pelirrojos como su madre.

Los muchachos sonrieron cuando Gerald se agachó para estrecharles la mano. Gerald se quedó triste y afectado al descubrir que a Jody le faltaba parte de las dos piernas. No dijo nada, pero de repente recordó a los veteranos sin piernas de Vietnam que había observado intentando hacer el amor en el motel. Anita interrumpió el prolongado silencio de Gerald para decirle que tenía una cita, y se excusó y empezó a tirar del carrito mientras Jody y Will se volvían para despedirse con la mano.

Pasaron semanas antes de que Gerald volviera a verla, y esta vez fue en una fiesta junto a la piscina de un parque de caravanas, invitado por un amigo que vivía allí. Al principio Gerald no reconoció a Anita, pues su atención se centró sobre todo en su cuerpo esbelto y de grandes pechos en bañador, goteando agua. Su tía Katheryn poseía esa misma silueta, al igual que su novia del instituto, Barbara White, y su mujer, Donna. Pero incluso después de que su amigo le presentara a Anita, no recordó su encuentro anterior con ella y sus hijos junto al motel hasta que Anita se lo mencionó.

En aquella ocasión tampoco se sentía muy sociable. Había decidido asistir a la fiesta en el último minuto simplemente como distracción por sus problemas con Donna, con la que llevaba semanas discutiendo. El día antes ella había acudido a un abogado para comentar la posibilidad de divorciarse. Gerald le había suplicado que lo reconsiderara, pero ella estaba furiosa y se mostró inflexible después de enterarse de que aquel año él había tenido una aventura con una hermosa joven empleada en una agencia de relaciones públicas de Denver.

Había sido la primera y única experiencia extramarital de Gerald en más de veinte años de matrimonio. A menudo había deseado romper su acuerdo con Donna de que podía mirar, pero nunca tocar, y en el *Diario de un voyeur* incluso había admitido que deseaba a otras mujeres. Pero curiosamente, esa primera aventura no había comenzado por iniciativa suya, sino más bien a raíz de la agresividad de esa relaciones públicas. Después de décadas como espectador, aunque nunca como actor, por fin había conocido a una mujer que al parecer le había echado el ojo.

Para el Voyeur aquella era una situación nueva e intrigante. No se había sentido tan deseable desde sus días de estrella del deporte en el instituto. Al principio creyó que el interés de esa relaciones públicas era pura imaginación; quizá un síntoma de fantasía masculina. Era incapaz de asumir que la cordialidad y el aspecto acicalado de la mujer tuvieran nada que ver con él personalmente; después de todo, parte del trabajo de la relaciones públicas consistía en exhibir una sonrisa y rezumar afabilidad cuando cada semana entraba en la recepción de los moteles para dejar folletos turísticos con información acerca de actividades patrocinadas por el ayuntamiento.

Sin embargo, cuando le propuso a Gerald quedar un día para ir a comer, o una tarde para tomar una copa, este cambió de opinión. En todo el tiempo que había estado en el desván no había observado a una mujer como aquella. Era una refinada profesional, discretamente femenina en su manera de vestir y actuar, y aun así se mostraba abiertamente seductora y al parecer dispuesta a arriesgarse con un hombre que, sabía, estaba casado. Incluso había conocido a Donna. Pero también parecía al corriente de cuándo Donna y Viola, la suegra de Gerald, no andaban por la oficina y podía encontrarse con él a solas en recepción. Allí se ponían a conversar, circunstancia que poco a poco llevó a que una tarde quedaran en una coctelería al otro lado de la ciudad, y a que pasaran unas horas juntos en un motel cercano.

Estos encuentros continuaron unos cuantos meses, y para Gerald eran algo excitante y único; era huésped en un motel acompañado de una mujer soltera que al parecer no deseaba nada más que sexo recreativo y amistad. El sexo era mutuamente satisfactorio, o eso le parecía a Gerald, aunque desde el punto de vista físico ella no estaba a la altura de su ideal. Era una mujer delgada de pechos pequeños y poco tono muscular. Estaba mejor vestida. Pero era divertida y retozona, y Gerald no veía motivo alguno por el que aquellos escarceos no pudieran durar de manera indefinida..., solo que acabaron de golpe en cuanto Donna se enteró.

Gerald intuyó que alguna de las esposas copropietarias de los moteles que frecuentaba le había ido con el cuento a Donna; pero tanto daba, porque Donna poseía tanta información precisa acerca de los lugares a los que Gerald había ido acompañado de la relaciones públicas que no se molestó en defenderse. Prometió terminar con aquel asunto de inmediato y lo hizo. No quería perder a Donna.

Pero aun así, no hubo manera de apaciguarla. Era una mujer testaruda cuya confianza en él había quedado hecha pedazos, y con determinación solicitó el acuerdo de divorcio, que obtuvo en 1983. Donna ya había desocupado la casa que poseían en el campo de golf y residía en otro lugar de Aurora. Durante todo este tiempo, el lupus fue empeorando, y ahora era incapaz de mantener su horario de trabajo habitual en el hospital, donde había llegado a ser jefa de enfermeras.

Gerald la visitaba con regularidad, todavía con la esperanza de reconciliarse; pero ella no dio su brazo a torcer, y él al final renunció y conoció a Anita Clark, la divorciada pelirroja con dos hijos pequeños.

Gerald y Anita comenzaron a verse a menudo, y en sus cartas él me aseguró que ella supuso una fuente de apoyo y tranquilidad. «Es calmada, dulce y de trato muy fácil —me escribió—. También ha prometido mantener mi vida voyeurística en secreto».

En una nota posterior afirmó que era un hombre nuevo, menos triste y más atrevido. «Si Anita llega a considerar mi propuesta de matrimonio, no será por gratitud o devoción, sino porque ha aprendido a amar otra vez, casi contra su voluntad. Necesitará un pensador fuerte y vigoroso, un gran hombre cuya voluntad e intelecto se ganen el reconocimiento de su corazón y sin cuya compañía sea incapaz de seguir viviendo. Ha conocido a esa persona en la figura de Gerald L. Foos.»

El 20 de abril de 1984 Gerald Foos y Anita Clark se casaron en Las Vegas. En años posteriores, Anita lo ayudó con la contabilidad y la gerencia del motel. En recepción repartía la misma cortesía a todos los huéspedes que llegaban, pero, siguiendo la política de Donna, se mostraba selectiva a la hora de asignar a los recién llegados más atractivos una habitación en la que Gerald pudiera observarlos.

Antes de conocer a Gerald, Anita ya había visto películas pornográficas, pero después de casarse se acostumbró a presenciar actuaciones en directo mientras se recostaba junto a él en el desván, y a veces practicaban al mismo tiempo el sexo oral o el coito. Anita se adaptó fácilmente a las placenteras rutinas que Gerald había practicado en épocas anteriores y mejores con Donna, y como Anita no tenía ningún empleo fuera del motel, trabajaba allí a tiempo completo, y pronto el mantenimiento diario y la contabilidad fueron responsabilidad casi exclusivamente suya.

En ausencia de Donna y Viola, Anita contrató a dos sustitutos en la oficina, y también le alegró contar con la ayuda a tiempo parcial de la hija de Gerald, Dianne, detrás del mostrador de recepción cada vez que su salud se lo permitía. Además, Gerald contrató los servicios de su hijo Mark, del que estaba un tanto distanciado, para que acumulara experiencia de dirección en una época en que Gerald estaba pensando en ampliar el negocio, cosa que, de hecho, hizo en 1991, cuando compró un segundo motel por aproximadamente doscientos mil dólares.

Arriba, una habitación del motel Manor House poco antes de que lo demolieran. Abajo, una de las rejillas de observación del Voyeur, ya tapada.

Anita, la segunda mujer de Gerald.

Anita y Gerald en el Waldorf Astoria de Nueva York en la década de los noventa.

Gerald delante de su segundo motel, el Riviera.

Veintinueve

El siguiente motel de Gerald se llamó Riviera, y estaba ubicado en el 9100 de la avenida East Colfax, a unos diez minutos en coche del Manor House. El Riviera era un edificio de dos plantas que disponía de setenta y dos habitaciones. Gerald solo instaló cuatro falsos conductos de ventilación en el techo de los dormitorios, porque el tejado relativamente plano del motel creaba un desván angosto por el que solo se podía circular a rastras; por lo tanto, la sede principal de sus observaciones siguió siendo el motel Manor House.

«Los voyeurs son tullidos (...) a los que Dios no ha bendecido —escribió—. Dios nos ha dicho: "Tenéis que observar por vuestra cuenta y riesgo"». En otra carta, extraída de sus recuerdos cuando estaba embarcado, escribió: «El voyeur se parece al cronómetro de una embarcación, a una vigilancia continua ininterrumpida o a un centinela en estado de alerta (...). El voyeur es el que pasa la noche en vela, el que permanece despierto noche y día a la espera de la siguiente observación».

Durante las vacaciones de Navidad de 1991, Gerald y Anita visitaron la ciudad de Nueva York y se alojaron en un hotel no lejos de mi casa. Pero no los vi. Acababa de terminar un libro y estaba ocupado con otro, un libro de memorias titulado *Vida de un escritor* que me llevó al estado de Alabama para revivir mis días de estudiante en la universidad a principios de los años cincuenta, y mis días de cronista en los sesenta, cuando trabajaba para el *New York Times* y ayudé a cubrir algunos enfrentamientos fruto de la lucha por los derechos civiles, como el «domingo sangriento» que tuvo lugar en la vieja población de plantadores de Selma, el 7 de marzo de 1965.

En 1993 Tina Brown me invitó a escribir en el *New Yorker* como colaborador, y uno de los muchos temas que comenté con la recién nombrada directora de la revista fue la historia del Voyeur y su motel. Tina se quedó estupefacta y le interesó la historia, pero no pude conseguir que Gerald se comprometiera a revelar su nombre, por lo que la cosa no prosperó. Había pasado más de una década desde que se puso en contacto conmigo por primera vez; y como yo no guardo secretos para mis lectores, y además dudaba que alguna vez Gerald consintiera en que se imprimiese su nombre, me dije que la historia jamás se publicaría.

Fue mientras me encontraba en Alabama en 1996, llevando a cabo una investigación complementaria para *Vida de un escritor*, cuando recibí una carta en la que Gerald Foos me comunicaba que sus días de propietario de motel habían terminado. Ya había cumplido más de sesenta años, y tenía las rodillas y la espalda tan afectadas por la artritis que le resultaba enormemente doloroso subir la escalera y reptar por el desván antes de colocarse sobre las aberturas de rejilla.

> *Anita y yo nos jubilamos el 1 de noviembre de 1996, tras vender nuestro último motel, el Riviera, y haber vendido anteriormente el motel Manor House en agosto de 1995.*
>
> *Hubo algo grandilocuente, nostálgico y un tanto desgarrador en la finalización y cese de la función del laboratorio de observación ubicado en ambos moteles. Ya no puedo volver a ese espacio protegido, a ese terreno sagrado, donde solo la verdad y la honestidad se observaban y prevalecían. Pero confío en haber acumulado suficiente intensidad física para seguir adelante con mi vida sin la existencia de los moteles y sus respectivos laboratorios de observación.*

Dijo que antes de la venta él mismo había eliminado los conductos de observación y cubierto los agujeros del techo «para proteger la integridad e intereses comerciales de los nuevos propietarios y para que no sufrieran perjuicio alguno».

Anita y él habían comprado un rancho en el Parque Cherokee de las Rocosas, y tenían planeado pasar allí tanto tiempo como en la casa situada junto al campo de golf de Aurora. Gerald a veces podía caminar libremente por las calles de la pista sin bastón, pero el dolor de espalda le impedía jugar; y así, él y Anita pasaban mucho tiempo libre pescando en un lago cercano o viajando en coche por la región, y a menudo cruzaban las zonas agrícolas del norte de Colorado, donde Gerald había vivido de pequeño.

Aparqué delante de una granja, llamé a la puerta, y después de que me abriera un adolescente, le expliqué que yo había nacido en esa casa. Al cabo de un rato de charla me invitó a entrar. No identificaba gran cosa porque habían reformado la casa, y el único recuerdo visible eran las escaleras que subían al piso de arriba. Me quedé cerca de la ventana de la cocina, donde mi madre solía asomarse de puntillas y decirme el nombre de todos los pájaros que visitaban el comedero, y de muchos otros con solo oírlos cantar. Recuerdo que en ese momento pensé: hay gente que observa los pájaros, gente que observa las estrellas, y hay gente como yo que observa a los demás.

Echaba muchísimo de menos los moteles, aunque intentaba convencerse de que no era solo la artritis lo que había provocado la venta. Opinaba que el negocio de los moteles, tal como él lo había conocido, pronto sería una empresa en declive. Cuando él comenzó, en los años sesenta, los criterios morales todavía eran bastante restrictivos, y debido a ello, las parejas que buscaban un lugar para sus encuentros amorosos solían frecuentar lugares como el motel Manor House, aunque Gerald insistía en que llevaba su negocio de manera mucho más responsable que casi todos los hosteleros que «no hacían preguntas» y operaban en la avenida East Colfax y en otros lugares de Aurora. Él no solo formulaba preguntas para verificar la identidad de los huéspedes que llegaban, sino que también, en el momento oportuno, levantaba los binoculares y miraba en dirección a las hileras de coches aparcados para anotar en su libreta los números de matrícula de cada vehículo.

Pero, en cualquier caso, el Manor House y otros pequeños moteles habían sido lugares de encuentro tradicionales para múltiples amantes cautelosos, huéspedes «de casquete rápido», intercambios de parejas, homosexuales, parejas interraciales, adúlteros, adúlteras, y otros que preferían encontrarse en lugares donde pudieran ir directamente del coche a la habitación sin tener que pasar por ningún vestíbulo ni utilizar el ascensor; gente que ahora se registraba en hoteles importantes y franquicias de moteles bien equipados, casi todos ellos provistos de habitaciones con televisor que ofrecía programas pornográficos.

Claro está, nadie conocía mejor que Gerald la diferencia entre el porno de la televisión y observar en directo desde el desván, y eso era lo que más echaba de menos tras la venta de sus moteles. A menudo, cuando pasaba en coche por delante del Manor House y el Riviera, se detenía junto a la acera de la avenida East Colfax y, con el motor aún en marcha, se quedaba contemplando de lejos lo que tan íntimamente había conocido y había regentado cuando era, en palabras de su propio diario, «el Voyeur Más Grande del Mundo».

No solo recordaba las posiciones y ángulos específicos de multitud de cuerpos boca abajo, sino también sus nombres y su número de habitación, y lo que los convertía en especiales o memorables: la encantadora pareja de maestras lesbianas de Vallejo, California; la pareja casada de Colorado en la cama con un joven semental que trabajaba en su empresa de aspiradores; la hermosa mujer del vibrador de Misisipi que durante un tiempo fue camarera del Manor House; la desconcertante candidata a Miss Estados Unidos procedente de Oakland, que durmió en la habitación 5 con su marido durante dos semanas sin practicar el sexo ni una sola vez; la madre de barrio residencial que disfrutaba de lujuriosos encuentros vespertinos con un médico antes de volver a su casa para cenar con sus dos hijos pequeños y su apuesto marido; y aquel matrimonio feliz y ardiente de Wichita, Kansas, de los que escribió en su diario: «Ojalá se hubieran quedado más tiempo».

Todas esas imágenes y otras parecidas daban vueltas por su mente con toda claridad casi cada día y noche, y el paso del tiempo no las diluía. Recordaba la voz de una mujer que había telefoneado al Manor House hacía treinta años, a principios del verano de 1967, solicitando una habitación para cuatro días.

Había dicho que pronto volaría a Denver procedente de Los Ángeles, y añadido que la vez anterior que se había alojado en el Manor House la dirección mandaba un coche a recoger a sus huéspedes al aeropuerto. Aunque esa era una cortesía que ofrecía el propietario anterior, Gerald le había dicho que iría a recogerla. Su plataforma de observación en el desván se encontraba en su segundo año en activo.

En la recogida de equipajes saludó a una morena bien arreglada de veintipocos años que llevaba un vestido de algodón de flores y guantes blancos, y que viajaba con una sola maleta grande de cuero. En el coche la mujer explicó que poseía un máster en pedagogía, pero que pensaba asistir a la Facultad de Derecho de la Universidad de Colorado. Quería especializarse en pleitos por herencias, a lo que añadió, en un tono casi profesoral, marcando bien las palabras: «Tenemos una gran fortuna que hay que dividir. La muerte lo exige, y los herederos lo reclaman. Los parientes lejanos presentan sus reclamaciones para obtener una parte, y muy a menudo la ley secunda sus peticiones. Y ahí es cuando quiero entrar en sus vidas».

Puesto que era la primera vez que Gerald recibía a un cliente fuera del hotel, antes de registrarlo, se mostró curioso pero reticente, deseando comportarse decorosamente mientras le hacía de chófer hacia un motel al que la definición de decoroso no le iba como un guante. Aunque ella se mostraba muy comunicativa acerca de sus aspiraciones profesionales, él no quería arriesgarse a ofenderla con preguntas personales, como si estaba casada o no, o si tenía amigos en la zona de Denver. Le bastaba con interesarse en lo que la mujer estaba diciendo acerca de la ley y otros temas, como por ejemplo la pena capital, a la que afirmó oponerse, opinión que Gerald tuvo la satisfacción de compartir.

Después de dejar el coche en el aparcamiento y de que Donna, que por entonces aún era su mujer, la inscribiera en el registro, Gerald se dirigió directamente al desván y anotó lo que vio.

> *La mujer por fin se quitó su combinación de encaje, se desabrochó el sujetador, y sus pechos eran enormemente grandes, de esos que permanecen ocultos en un sujetador apretado y quieren escapar. Tras una hora pensando tan tranquila en sus cosas mientras deshacía la maleta y organizaba sus pertenencias, por fin se tumbó desnuda en la cama y comenzó una rutina de tocamientos y masturbación. Durante el orgasmo estiró las piernas hacia fuera y hacia arriba y arqueó el torso.*
>
> *El Voyeur se masturbó hasta el orgasmo al mismo tiempo que ella.*
>
> *Al día siguiente ella y el Voyeur mantuvieron una breve conversación en la oficina antes de que ella cogiera un taxi para ir al campus, y esa misma noche, antes de irse a la cama, la mujer se masturbó de nuevo. Lo hizo al menos una vez al día durante su estancia de cuatro días, y en todas las ocasiones el Voyeur la acompañó.*

Cuando la mujer se marchó, Donna contrató un chófer para que la llevara al aeropuerto mientras el Voyeur permanecía en el desván. No quería despedirse de ella. Quería conservar la imagen que prefería ver de la mujer, desnuda, dándose placer, y también a él. La mujer no volvió a telefonear nunca más para reservar habitación, y él nunca supo qué fue de ella; pero por lo que a él se refería, seguiría siendo su huésped para siempre, su objeto de deseo sin que ella lo supiera, un eslabón en una cadena de mujeres preciosas a las que había observado cuando era más joven y sobre las que habrá reflexionado durante sus años de emérito como voyeur desplazado.

Todo eso podría sugerir la prolongada fantasía de un harén por su parte, pero lo que resultaba fantástico para él era que todo había sido real, no extraído de su imaginación, sino presenciado por él mismo. Sus observaciones eran auténticos fragmentos de vida que reafirmaban lo incompleta que era la imagen que ofrecía la gente en sus actividades y poses cotidianas, cuando la veíamos en el centro comercial, las terminales de trenes, los estadios deportivos, los edificios de oficinas, los restaurantes, las iglesias, las salas de concierto y los campus universitarios.

Durante muchos años había tenido acceso a la intimidad de los demás, pero ahora, aunque millares de escenas secretas permanecían grabadas en su mente, había perdido para siempre la capacidad de asombro y excitación que solía acompañar la llegada de los huéspedes a sus habitaciones: el sonido de la llave en la cerradura, la imagen del pie de una mujer cruzando el umbral, la conversación de una pareja mientras deshacía el equipaje, el desabrocharse de un sujetador, la visita al cuarto de baño, el quitarse la ropa, apartar las sábanas, y, si esas personas se susurraban palabras románticas que él oía, el ardiente deseo de ver lo que ocurría acto seguido.

Solo podía intuirlo, desde luego, y eso era parte de la emoción: el no saber lo que ocurriría después, y las sorpresas y decepciones que formaban parte de la vida. Pero, fuera lo que fuera lo que viese, alimentaba su deseo de ver más. Era un espectador adictivo. Su ocupación era vivir expectante. Y era de eso de lo que se había jubilado al vender los moteles.

Treinta

Entre 1998 y 2003 pasé mucho tiempo en China y en otras partes de Asia siguiendo las peripecias del equipo nacional de fútbol femenino de China y de una de sus jugadoras, Liu Ying, uno de los personajes principales del libro que estaba escribiendo, *Vida de un escritor*.

Durante esa época y en la década siguiente, más o menos tuve olvidado a mi voyeur y amigo por correspondencia de Aurora, una ciudad de la que nunca había oído hablar antes de recibir su primera carta en 1980; y después de que vendiera sus moteles, mi interés por Aurora se desvaneció por completo, hasta que, de manera sorprendente, la vi mencionada en la portada del *New York Times* del 21 de julio de 2012.

Bajo el titular principal figuraba la noticia de que un estudiante de posgrado de neurociencia de veinticuatro años de la Universidad de Colorado en Denver había matado a tiros a doce personas y herido a otras setenta en un cine de Aurora, antes de la proyección de medianoche de una secuela de *Batman* titulada *El caballero oscuro: la leyenda renace*. El tirador fue identificado como James E. Holmes, producto de una comunidad de clase media de San Diego. El *New York Times* describía a sus padres como «gente muy, muy agradable»; su madre era enfermera titulada.

La policía de Aurora afirmó que Holmes, vestido de negro y con el pelo teñido de naranja y rojo, disparó al azar a los miembros del público utilizando un rifle de asalto AR-15, una escopeta Remington y una pistola Glock del calibre 40. Numerosas llamadas a emergencias procedentes del cine alertaron a la policía, que no tardó en atrapar a Holmes cerca de su coche aparcado y detenerlo. Más adelante, Holmes admitió que había instalado dispositivos químicos e incendiarios y cables trampa en el apartamento del edificio donde vivía en Aurora.

Tras repasar rápidamente el artículo del *New York Times* y ver que el nombre de Gerald Foos no figuraba entre la lista de heridos o muertos, por fin contacté con él por teléfono después de que una paciente operadora lo localizara en su nueva dirección. Foos reconoció que él y Anita habían tenido suerte al no asistir al pase de *El caballero oscuro: la leyenda renace,* pero habían ido a ese cine montones de veces, y Gerald dijo que conocía el apartamento del tirador.

—Es el mismo apartamento de la tercera planta entre la Diecisiete y la calle Paris que alquilé hace unos años para mi hijo Mark —dijo Foos. Los documentos demuestran, sin embargo (en otra prueba de la poca fiabilidad de Foos), que Mark Foos en realidad vivió en el 1760 de la calle Paris, a una manzana del apartamento de James Holmes, situado en el 1690 de la misma calle—. Ahí tuvimos muchas conversaciones sinceras. Después de trasladar a mi hijo a otro barrio, al parecer ese tipo alquiló el apartamento, aunque no recuerdo haberme topado con el sujeto cuya foto aparece en todas las noticias.

Unas pocas semanas después de la llamada, Gerald Foos volvió a escribirme, y en una de sus primeras cartas me relataba que se había paseado por Aurora después de la tragedia.

> *Mientras pasaba por el centro comercial de Aurora y el multicine 16 Cinema, donde había tenido lugar el tiroteo, y que la policía aún estaba investigando, me fijé en los ramos de flores y los ositos de peluche que la gente había colocado en el suelo en recuerdo de las víctimas. Se trata de una nueva zona de la ciudad: se ven muchos escapara-*

tes relucientes y bonitos edificios; es donde están los juzgados del condado, la comisaría, la biblioteca. ¿Por qué ocurrió aquí la matanza?

¿Es que los habitantes de Aurora no hemos tratado a nuestros semejantes con amabilidad y consideración y por eso la espada de Damocles ha caído sobre nosotros? ¿O acaso estas muertes no son más que algo natural en nuestra sociedad, algo que toleramos?

En otra carta, me escribió:

Me siento de lo más incómodo en el mundo y la sociedad actuales. En mi papel de Voyeur me sentía especialmente poderoso en la plataforma de observación, pero ahora, como Gerald, ya no me siento así. Gerald siente angustia en esta ciudad en expansión, y también piensa en su juventud desaparecida. Cuando se mira en el espejo colocado sobre el mueble del lavabo, observa la edad en sus ojos, y el gris de sus cabellos y su barba. Planea teñirse el pelo, y después de hacerlo le parece un engaño, una falsedad que intenta imponer a cualquiera con quien se pueda encontrar hoy. Al aplicarse el tinte está haciendo algo a lo que el Voyeur siempre se opuso: subvertir la realidad, la sustancia, la verdad. Gerald recurre a una ilusión artificial que sus semejantes pueden aceptar como verdad.

Gerald recorre Aurora en su coche, y mientras se acerca a la avenida East Colfax observa el complejo de viviendas para mexicanos que se alza al este y al oeste del motel Manor House. Al este del Riviera casi solo se ven negocios asiáticos, que ahora ocupan el lugar de los negocios que conocía. Eso le molesta, saber que la gente que conocía se ha mudado o ha muerto. Ya no conoce a nadie en esa calle, ni en los comercios que hay ahora. Se siente perdido, como si ya no fuera su ciudad. La barbería ha desaparecido. La gasolinera ha desaparecido. Y ahora el Voyeur y Gerald son entidades distintas, completamente desconec-

tadas, puesto que su actividad en la plataforma de observación ha finalizado.

En una esquina de la calle, Gerald frena cuando el semáforo se pone en rojo. Mientras está allí parado, levanta la mirada por el parabrisas y ve una cámara que enfoca el cruce. Sabe que le acaban de sacar una foto, a él y a la matrícula del coche.

Mientras continúa hasta el banco de su barrio, donde se detiene para hacer un depósito, pasa por delante de otra cámara que enfoca al aparcamiento, y luego ve otra sobre la entrada del banco. Una vez dentro, se queda delante del cajero y hace su depósito, y de nuevo le fotografía una cámara apostada en el techo.

Más tarde, mientras visita una tienda de comestibles, una de las pocas tiendas que quedan de años anteriores y en la que el encargado es amigo suyo, le pregunta a su amigo mientras señala la cámara: «¿Qué hacéis con estas cintas que cambian cada día?». El hombre le contesta: «Son para nuestra seguridad, como ya sabes, pero la policía, el FBI y el Departamento de Hacienda también las utilizan, y no sabemos para qué. Todo lo que sabemos es que casi todo lo que hacemos queda registrado».

Gerald vuelve a su coche, y en el camino de vuelta a casa piensa en todos los cambios que él y el Voyeur han vivido desde que abrió el motel Manor House, hace más de treinta años. Ahora las vidas privadas de los personajes públicos se exponen casi a diario en los medios de comunicación, e incluso el director de la CIA, el general David Petraeus, es incapaz de mantener su vida sexual secreta fuera de los titulares. Los medios de comunicación son los mirones de la actualidad, y el mayor mirón de todos es el gobierno de los Estados Unidos, que controla nuestras vidas cotidianas a través del uso de cámaras de seguridad, internet, nuestras tarjetas de crédito, nuestras cuentas bancarias, nuestros teléfonos móviles, nuestros i-Phones, la información del GPS, nuestros billetes de avión, las escuchas telefónicas y todo lo demás.

Quizá usted piense: ¿por qué le interesa todo esto a Gerald Foos?

Porque es posible que algún día el FBI se presente en mi puerta y me diga: «Gerald Foos, tenemos pruebas de que ha estado mirando a la gente desde su plataforma de observación. ¿Qué es usted? ¿Una especie de pervertido?».

Y entonces Gerald Foos responderá: «Y ustedes, ¿qué son? ¿El Gran Hermano? Durante años me han estado vigilando allá donde voy».

Treinta y uno

En la primavera de 2013, mientras estaba en Nueva York, recibí una llamada telefónica de Gerald Foos diciéndome que por fin estaba preparado para que su historia se hiciera pública. Habían pasado muchos años desde que se deshizo de sus moteles, y, aunque no estaba seguro de las consecuencias legales, creía que la ley de prescripción le protegería de las demandas de violación de la intimidad que pudieran presentar antiguos huéspedes de los moteles Manor House y Riviera.

También se acercaba a los ochenta, me recordó, y si no compartía ahora sus diarios con los lectores, quizá ya no pudiera hacerlo nunca. Así que me sugirió que tomara en breve un avión y fuera a verlo.

Al cabo de un mes, después de haber despejado mi agenda para una visita de cuatro días, me reuní para desayunar con Gerald Foos en el bar del vestíbulo del hotel Embassy Suites, cerca del Aeropuerto Internacional de Denver.

Cuando me divisó en una de las mesas y me llamó por mi nombre, le reconocí sobre todo por la voz, una voz sonora y familiar que me había acostumbrado a escuchar durante las décadas en que habíamos hablado por teléfono. Por lo demás, poco se parecía ese anciano que vi acercarse al Gerald Foos que había visto por última vez en 1980.

En aquella época era un sujeto vigoroso y recio de unos cuarenta y cinco años, metro ochenta de estatura y noventa kilos de peso, bien afeitado y con una abundante mata de cabellos oscuros. Ahora, mientras se acercaba lentamente con el brazo derecho extendido, se ayudaba de un bastón y era una persona ya mayor, medio calvo y de pelo gris, con bigote y perilla. Vestía una americana de *tweed* gris con hombreras que le quedaba ajustada sobre su amplio pecho, y debajo una camisa *sport* naranja, pantalones negros y mocasines.

Cubría sus ojos color avellana con unas gafas tintadas, que, me explicó posteriormente, le habían recetado para su miopía. También reconoció que su estatura había menguado un par de centímetros y que ahora pesaba casi ciento diez kilos.

—Pero me encuentro bien —dijo cuando nos estrechamos la mano, nos sentamos y estudió el menú. A continuación, levantó la mirada, y, apuntando con el bastón hacia mí, dijo—: Veo que, como siempre, va hecho un pincel —y con una sonrisa añadió—: ¿Esta corbata de seda que lleva es la misma que se deslizó entre los listones de la rejilla la noche en que subió conmigo al desván?

Le aseguré que era una corbata diferente, pero nuestra conversación quedó interrumpida por la aparición de Anita, que se disculpó por llegar tarde, pues le había costado encontrar aparcamiento.

Anita, dieciocho años más joven que Gerald, era tal como había escrito en sus cartas: una mujer menuda, callada y observadora que medía un metro sesenta y cinco y tenía el pelo rojo y crespo, ojos verdes y una figura voluptuosa perceptible incluso a través de la vestimenta recatada que llevaba. Aquel día se había puesto un vestido de flores abrochado hasta el cuello, y tras su saludo inicial permaneció sentada en silencio durante todo el desayuno mientras su locuaz marido resumía lo que sería nuestro itinerario.

—Cuando salgamos de aquí —dijo—, me gustaría llevarlo a nuestra casa para que pueda ver mi colección de objetos relacionados con el deporte que guardo en el sótano: decenas de miles de cromos deportivos que Anita ha organizado por orden alfabético, y tenemos casi doscientas pelotas de béisbol firmadas por gente como Ruth, Gehrig, DiMaggio, Williams, Mantle, etcétera, incluyendo una muy poco común firmada por «J. Honus Wagner». Nadie mencionó su nombre, «Johannes», después de que se hiciera famoso como «Honus», pero yo tengo este cromo de «J. Honus Wagner» de principios de la década de 1900 que venía con las cajetillas de cigarrillos Piedmont hasta que Wagner, que no fumaba, se opuso. Así que estos cromos son tan escasos como los antiguos cascos de fútbol de cuero que solía llevar Sammy Baugh, y que yo también llevaba en el instituto. Tengo los palos de Walter Hagen, los que utilizó en 1928 para ganar el Open Británico...

Siguió explicándome que una de las razones por las que ahora estaba dispuesto a darse a conocer como voyeur era que le ofrecía la oportunidad de llamar la atención de los medios hacia su colección de objetos deportivos, que, en su opinión, valía muchos millones de dólares, y que estaba impaciente por vender, junto con su gran casa de muchos escalones, que ahora no podía subir por culpa de sus rodillas artríticas, que le dolían mucho.

—Le regalaré mi gran casa a cualquiera que me compre la colección —dijo. Su sueño era vivir en una casa de una sola planta sin escaleras.

Respondí que estaba impaciente por ver su colección de objetos relacionados con el deporte, pero le recordé que había volado hasta Denver para entrevistarle de manera oficial acerca de su carrera en el desván, y que ambos ya habíamos acordado que deberíamos averiguar algo más sobre el asesinato de la novia del traficante que tuvo lugar en la habitación 10 del motel Manor House en 1977.

A mediados de marzo, de hecho —al menos tres semanas antes de volar hasta Denver—, yo había telefoneado a Gerald Foos para informarle de que, sin mencionarle a él como testigo, tenía intención de ponerme en contacto con el Departamento de Policía de Aurora y averiguar si habían descubierto alguna nueva información acerca de la muerte de una joven en el motel Manor House la tarde del 10 de noviembre de 1977.

Foos no puso ningún reparo, pues desde hacía mucho tiempo lamentaba su negligencia de aquella noche, y creía que si la historia se hacía pública y admitía sus errores, podría conseguir lo que los católicos buscan cuando confiesan sus pecados. Dijo que aspiraba a alcanzar una especie de «redención», sobre todo si su franqueza reavivaba el interés de la opinión pública por el crimen y acababa llevando al asesino a la justicia, siempre y cuando, claro, el asesino siguiera con vida.

Pero el Departamento de Policía de Aurora no tardó en contestarme que no disponía de información acerca de ese crimen ocurrido hacía casi cuarenta años, y durante nuestro desayuno le enseñé a Gerald Foos copias de las cartas que había recibido hacía poco. Una me la había remitido el jefe de división Ken Murphy, que me había escrito: «Por desgracia no conseguimos encontrar ninguna muerte/homicidio que encaje con sus criterios. En noviembre de 1977 solo hemos encontrado un homicidio, pero ocurrió a unos cuantos kilómetros de distancia del motel Manor House». La víctima de ese asesinato, aún sin resolver, fue una mujer hispana de veintiocho años llamada Irene Cruz. La encontró estrangulada el personal de limpieza del hotel Bean de Denver en una habitación la mañana del 3 de noviembre.

La otra carta, que me había remitido el teniente Paul O'Keefe de la unidad de homicidios, decía: «He comprobado personalmente la página web de la Oficina de Investigación de Casos Abiertos de Colorado, así como nuestra lista interna de casos abiertos activos, y no he encontrado nada que encaje con la información que usted me ha suministrado. También repasé los archivos del Departamento de Policía de Aurora durante la semana anterior y la posterior a la fecha que anotó en su carta, y no hemos encontrado ninguna denuncia de homicidio (resuelto o sin resolver) durante esa franja temporal».

El teniente O'Keefe me recomendó que consultara las oficinas de los dos forenses del condado, alguno de los cuales quizá había levantado el cadáver de una mujer en la ciudad de Aurora —los forenses de Adams County y Arapahoe County—, pero ninguno de los dos disponía de información alguna, y tampoco la tercera fuente de estadísticas y registros vitales que comprobé: el Departamento de Salud Pública y Medio Ambiente del Estado de Colorado. Aquí ni siquiera consideraron mi petición de información: me explicaron que solo los familiares de los difuntos tienen acceso a los registros de defunción. Hablé asimismo por teléfono con dos agentes de policía que me dijeron que tampoco sería insólito que no existiera registro alguno en papel de un asesinato como el que yo había descrito; la identidad de la víctima era desconocida, y el crimen tuvo lugar antes de que los departamentos de policía utilizaran archivos electrónicos.

También es posible que Foos cometiera un error en sus archivos, o escribiera de manera incorrecta la fecha del asesinato, mientras copiaba la entrada del diario original en un formato distinto; Foos a menudo contaba la misma historia más de una vez en sus diarios y cartas. A lo largo de los años, mientras iba escarbando en la historia de Foos, detecté varias incoherencias —sobre todo en cuestión de fechas— que me llevaron a poner en entredicho su fiabilidad.

Le mencioné a Gerald Foos que había obtenido la cooperación del departamento de noticias del *Denver Post,* pero que en las necrológicas del periódico de 1977 no aparecía nada que pudiera servirnos de pista.

—Es como si nadie hubiera reparado en la existencia de esa joven —dijo, pero añadió que quizá eso no le exonerara de las consecuencias legales.

Si admitía públicamente que había presenciado cómo el camello asesinaba a la mujer y no había hecho nada para impedirlo, «podría ser cómplice de un crimen. Sería un cargo grave porque no llamé a la policía cuando era el momento... Podrían condenarme por asesinato en segundo grado. ¿Quién sabe? Un abogado me dijo que existe una ley llamada "circunnavegación" que permite a los tribunales hacer muchas cosas. Entró en vigor para los delincuentes sexuales, como por ejemplo los sacerdotes que abusaron de niños hace mucho tiempo, y "circunnavegando" puedes conseguir que parezca que ocurrió ayer por la noche».

Sin embargo, añadió Foos, después de años de reticencia ahora estaba dispuesto a admitir la verdad.

—La vida conlleva riesgos —dijo—, pero eso no debe preocuparnos. Simplemente hemos de contar la verdad.

Con su bastón señaló unas cuantas cámaras de vídeo colocadas sobre nuestras cabezas dentro del vestíbulo del hotel, un enorme espacio abierto que alcanzaba los seis pisos de altura y reflejaba el movimiento de un par de relucientes ascensores acristalados.

—Cuando entraba, también me he fijado en las cámaras colocadas en el techo, y otras que hay en recepción y allí donde mires —dijo Gerald Foos, repitiendo su queja acerca del extendido voyeurismo que ya había citado en sus cartas.

Desde luego resultaba irónico que él, ni más ni menos, se ofendiera porque lo vigilaran; pero en aquel momento, mientras un camarero se llevaba nuestros platos del desayuno, más que debatir ese punto decidí postergar nuestra discusión hasta que mantuviéramos la prometida entrevista en su casa, cuyas palabras podría atribuirle con nombre y apellidos.

Treinta y dos

Mientras esperábamos delante del hotel a que Anita trajera el coche, Gerald volvió a señalar una cámara sobre nuestras cabezas, pero se guardó el comentario al observar que uno de los porteros lo miraba.

Sentada al volante de su Ford Escape azul de cinco puertas, Anita esperó a que su marido introdujera su corpachón en el asiento del copiloto, y yo me senté detrás, y no tardamos en poner rumbo al norte entre carreteras rurales de escaso tráfico flanqueadas por campos de maíz, de trigo, y extensiones de tierra sin cultivar que Gerald decía que eran propiedad de especuladores y que a veces se veían invadidas por pumas, osos, mofetas y tejones, mientras sobre nuestras cabezas volaban gansos del Canadá procedentes del norte.

Medio vuelto en su asiento, Gerald llamó mi atención hacia otras cosas que le interesaban, como el lago al que él y Anita iban a pescar a menudo, y la gasolinera Valero de la que eran clientes y en la que Anita conocía al encargado («Es del Nepal»), y a continuación nos dirigimos hacia donde vivía la pareja: una tranquila comunidad de calles perfectamente pavimentadas, céspedes cuidados, callejones sin salida, hileras de piceas azules y residencias de lujo tan parecidas todas ellas que a Gerald y a Anita al principio les había costado encontrar la suya, después de haberla comprado y haber ido en coche a la agencia inmobiliaria, situada a tres kilómetros, para firmar la escritura.

—Al regresar nos pasamos horas dando vueltas por la zona en busca de nuestra casa —recordaba Gerald—. Estábamos perdidos, y una y otra vez acabábamos en cualquier callejón sin salida. Al final vimos a un tipo por la calle y lo llamé: «Oiga, nos hemos comprado una casa por aquí pero no la encontramos», y él nos contestó: «Oh, eso también me ocurre a menudo. Muchas de estas casas nuevas se parecen». Entonces no tenía GPS, pero sí las señas, y aquel hombre enseguida nos mandó en la dirección correcta.

Anita se detuvo antes de enfilar el camino de entrada a una casa grande, verde y moderna, con adornos blancos y revestimiento de piedra, y piceas en la parte delantera. Gerald pulsó un mando a distancia que abrió la puerta de un garaje para tres coches en el que había aparcado un sedán Ford Fusion blanco, y de las paredes del garaje, perfectamente ordenadas, colgaban herramientas domésticas, cañas de pescar y también la cabeza de un ciervo y el arco y la flecha con los que, según Gerald, mató al animal durante una cacería, años atrás.

Tras entrar en la casa por una puerta lateral del garaje, Gerald le pidió a Anita que desconectara las alarmas y los rayos láser del sótano, y me dijo que su colección de objetos deportivos estaba valorada en quince millones de dólares. A continuación, atravesamos un comedor y llegamos a una gran sala de estar con muebles de caoba y una pantalla de televisión de ochenta pulgadas, y varias vitrinas altas que contenían algunas de las ochenta muñecas que él y Anita habían coleccionado durante sus casi treinta años de matrimonio. Recordé haber leído en sus notas lo mucho que le atraían las muñecas que veía en el dormitorio de su tía Katheryn, y que su madre consiguió que dejara de interesarse por ellas y pasara a coleccionar cromos de béisbol; pero se me ocurrió que, después de su matrimonio con Anita, a través de ella había vuelto a sentirse atraído por las muñecas, y por eso había adquirido algunos de los modelos que ahora estaba viendo en las vitrinas de la sala de estar y en otras partes de la casa.

Mientras estaba junto a Gerald, de un estante de cristal sacó una muñeca de ojos verdes y pelirroja que llevaba un vestido de encaje blanco y zapatos blancos, y me dijo:

—Anita y yo estuvimos en Florida, y tenía una foto de Anita cuando era muy joven, y encargamos esta muñeca imitando la imagen de la foto —luego me explicó—: Todas las muñecas que ve están hechas completamente de porcelana, de los pies a la cabeza, todo el cuerpo —y cogió una bonita muñeca de ojos azules y pelo rubio que medía casi un metro y dijo que era un producto único diseñado por la fabricante alemana de muñecas Hildegard Günzel, célebre entre los coleccionistas de todo el mundo—. Pagamos más de diez mil dólares por ella —dijo.

A petición mía, me señaló algunas fotos de su tía Katheryn, que se encontraban entre las imágenes enmarcadas de los miembros de su familia que colgaban de las paredes. En una foto se la ve en la granja con los brazos en jarras y sonriéndole a la cámara.

Aunque la mujer llevaba unos pantalones holgados y una blusa de encaje negro que le quedaba suelta, el perfil de sus curvas era bastante evidente. Al lado había otra foto en la que aparecía Gerald cuando era un crío y vivía en la granja: tiene en brazos a su perro y se ve la ventana del dormitorio de su tía. Además, había fotos de los padres, Natalie y Jake, de pie ante la recepción del motel Manor House; y de Gerald y Anita en el vestíbulo del Waldorf Astoria durante unas vacaciones en Nueva York en 1991.

En el piso de arriba, en las paredes de su oficina, colgaban las matrículas de algunos de los coches que había conducido: sus Cadillac, Lincoln, Thunderbird. En otra vitrina, en un rincón de su despacho, junto al escritorio, estaba su colección de armas: varios rifles, escopetas y armas de balines de cuando era niño; y en un estante, al lado, dos Lugers alemanas que, según Gerald, había conseguido de un coronel americano que las había obtenido de la residencia del comandante nazi Hermann Göring. También había una espada japonesa con su funda, que Gerald dijo haber adquirido en una venta de objetos usados.

En la habitación de invitados que había junto a su oficina se veían más muñecas de porcelana de Anita, un carruaje de muñecas, varios animales de peluche creados por Avanti y docenas de figuritas de cristal que representaban gatos y otras criaturas: un zoológico al que de vez en cuando se unían los dos gatos de Anita. Todas las mujeres con las que Gerald Foos se había relacionado eran coleccionistas, dijo, y añadió que su primera mujer, Donna, poseía una enorme colección de sellos y que «había llegado a pagar hasta mil dólares por un sello». El interés de Anita no se restringía a las muñecas, prosiguió, sino que incluía una colección de monedas y una provisión de botellas de vino de la Velvet Collection del valle de Napa, con una imagen de Marilyn Monroe en cada una.

Desde que la pareja había vendido sus moteles, Anita dedicaba gran parte de su tiempo libre a ordenar alfabéticamente los millones de cromos de deportes de Gerald (en los que aparecían desde Troy Aikman, antiguo mariscal de campo de los Dallas Cowboys, hasta Chris Zorich, antaño liniero con los Chicago Bears), un «esfuerzo y un acto de amor» por su parte que Gerald me señaló orgulloso después de que hubiéramos bajado al sótano.

Algunos cromos deportivos estaban colocados dentro de los centenares de álbumes de fotos que, uno junto a otro, ocupaban las múltiples hileras de estantes que recubrían las cuatro paredes del sótano parcelado, que contaba con un techo de más de tres metros de altura y abarcaba una superficie de veintidós metros por trece en total.

Además de esos álbumes de fotos, había centenares de cromos que se exhibían de manera individual dentro de unos pequeños marcos acrílicos que reposaban sobre o dentro de las numerosas vitrinas.

Mientras Gerald Foos me mostraba lentamente las vitrinas, a veces hacía una pausa, cogía un cromo en concreto y comentaba algo.

—Ese es un cromo de Michael Jordan cuando era un novato —dijo, y añadió que lo había comprado en un mercadillo hacía muchos años, a un vendedor mal informado, y que solo había pagado veinte dólares por él.

A continuación, me mostró un cromo en el que se veía al jugador de béisbol Alex Rodríguez, y admitió que en los últimos años su válor había bajado:

—He aquí un tipo, y perdóneme por hablar así, que me cabrea un huevo, porque si se hubiera mantenido alejado de los esteroides, probablemente habría sido el jugador más grande del mundo.

Tras levantar y elogiar el cromo de Hank Aaron, y luego el de Jackie Robinson, y luego el del Salón de la Fama de los Detroit Lions, remontándose a Barry Sanders, que jugó durante la década de los noventa, Gerald me mostró un cromo que le había tocado en una caja de dulces Cracker Jack en el que se veía al campocorto de los Pittsburgh Pirates de principios de la década de 1900, Honus Wagner. En un rincón de la sala había docenas de cascos de fútbol autografiados por las estrellas de la NFL —Joe Montana, Jim Brown, Len Dawson—, y al otro lado, sobre cuatro estantes de madera, se alineaban doscientas pelotas de béisbol autografiadas, que, según Gerald, valían más que su peso en oro. Entre las firmas estaban la de Joe DiMaggio, Ted Williams, Barry Bonds, Mickey Mantle, Hank Aaron y Pete Rose. («Debería estar en el Salón de la Fama.») Cada pelota iba montada sobre un pequeño pie de madera con una placa de latón en la que se leía el nombre del jugador que la había firmado, y estaba cubierta con un globo de plástico ligeramente más grande que la pelota que la protegía de las impresiones digitales y otras marcas.

Perfectamente apiladas sobre los estantes, encima de las hileras de pelotas de béisbol, había docenas de cajas de cereales Wheaties, y en la parte delantera de cada una se veía a un atleta famoso. Entre ellos, John Elway de los Denver Broncos, Roberto Clemente de los Pittsburgh Pirates, y Jerry Rice de los San Francisco 49ers. Algunas de estas cajas de cereales sin abrir, como la que exhibía a Lou Gehrig en la tapa, tenían décadas.

—Debe de haber generaciones de gusanos viviendo en algunas de estas cajas —dije.

—Sí, y eso las hace aún más valiosas —replicó Gerald con una sonrisa.

Treinta y tres

En el piso de arriba, sentado delante de mí en la sala, Gerald contestó algunas preguntas:

—¿Cómo le gustaría que le describieran en la prensa cuando haga pública su historia? —quise saber.

—Espero que no me describan como un pervertido o una especie de «mirón» —dijo—. Me considero un «pionero de la investigación sexual».

Dijo que reunía los requisitos necesarios para ser considerado un pionero porque había observado y escrito acerca de miles de personas que nunca se dieron cuenta de que las observaban, y que, por tanto, su investigación era más «auténtica y legítima» que, por ejemplo, el material procedente del Instituto Masters & Johnson, donde los hallazgos se extraían de participantes voluntarios.

—¿Por qué cuando escribe en el *Diario de un voyeur* pasa tan a menudo de la primera a la tercera persona y viceversa?

—Porque me sentía como si fuera dos personas distintas —dijo—. Cuando estaba en la oficina era Gerald el Hombre de Negocios. Cuando estaba en la plataforma de observación era Gerald el Voyeur.

—¿Alguna vez se le ocurrió filmar o grabar a sus huéspedes?

—No —dijo.

Detalló que si lo hubieran atrapado con un equipo de filmación, habría sido fácil incriminarlo, y además, utilizarlo era poco práctico. A menudo había largos periodos de tiempo en los que en los dormitorios no pasaba lo suficiente como para justificar el uso de una cámara o un dispositivo de grabación en el desván. En cualquier caso, jamás se le pasó por la cabeza utilizarlos.

Posteriormente le pregunté a Foos si había oído hablar de Erin Andrews, la comentarista deportiva de televisión a la que un acosador filmó mientras salía de la ducha de su habitación del hotel tras haber trucado la mirilla de la puerta. El hombre, que más tarde colgó en internet las imágenes de Andrews desnuda, fue condenado por un delito grave y setenciado a treinta meses de cárcel. Andrews lo demandó por setenta y cinco millones de dólares en daños y perjuicios para compensar el «horror, la vergüenza y la humillación» sufridos. En febrero de 2016, un jurado le concedió cincuenta y cinco millones de dólares.

Foos había seguido el caso en las noticias. Su opinión no me sorprendió.

—Aunque he dicho que casi todos los hombres son voyeurs, hay algunos, como ese asqueroso del caso de la cadena Fox Sports, que son despreciables —me dijo—. Pero también se le puede considerar un producto de la nueva tecnología, alguien que expone a su presa en internet y hace algo que nada tiene que ver con lo que yo hago. Yo no expuse en público a nadie. Lo que hizo ese tipo fue cruel y vengativo. Si yo hubiera sido miembro del jurado, sin duda lo habría condenado.

De nuevo en su sala de estar, Foos añadió:

—Todo lo que yo necesitaba era mucha paciencia y la capacidad de describir en el *Diario de un voyeur* las situaciones y tendencias que veía.

Rememoró que una de las primeras tendencias de la revolución sexual de los setenta que quedó evidente en el motel Manor House fue el hecho de que las parejas comenzaran a desvestirse mutuamente, en lugar de ir a cambiarse al cuarto de baño, o con las luces apagadas, como había sido costumbre en años anteriores. Otra señal de la liberación de los años setenta fue un aumento de los huéspedes que participaban en encuentros de sexo en grupo, sexo interracial y actividades entre gente del mismo sexo, a lo que añadió que «la gente comenzó a sentirse más libre con los demás, las relaciones sexuales parecieron más relajadas, y las mujeres comenzaron a decirles a los hombres lo que querían, mostrándose más abiertas y menos tímidas».

Él también se volvió físicamente receptivo a lo que veía, y explicó:

—Allí arriba aumentaban mis estímulos sexuales, cosa que le habría ocurrido a cualquier hombre y a cualquier mujer, y luego bajaba y Anita y yo teníamos unas relaciones sexuales fabulosas. El sexo siempre fue fabuloso —asintió en dirección a Anita, sentada al lado. Al cabo de un momento, ella también asintió con la cabeza.

Admitió que sus mujeres le habían enseñado mucho sobre el sexo, primero Donna, y más todavía Anita. Aunque había sido un observador compulsivo, señaló que, aparte de sus esposas, había conocido a pocas mujeres íntimamente. Cuando era soltero y pasó cuatro años en la Marina, algunas camareras se lo habían llevado a la cama, y durante sus veinte años de matrimonio con Donna, le había sido fiel hasta el último año, cuando tuvo ese breve lío con la relaciones públicas de Denver. Y añadió que había sido fiel a Anita durante sus casi treinta años de matrimonio, y que el factor que convertía a Anita en una pareja compatible con él, además de su carácter afectuoso, era que se trataba de una mujer «visual». Con ello quería decir que, a diferencia de casi todas las mujeres, a Anita le gustaba ver a los demás practicando el sexo, y también disfrutaba de las películas porno. Casi todas las mujeres prefieren que las miren a mirar a los demás, cosa que explica en parte por qué los hombres gastan fortunas en el porno y las mujeres en cosmética.

—Solo el diez por ciento de las mujeres son voyeurs —dijo—, mientras que casi el cien por cien de los hombres lo son —afirmó que Anita se encontraba entre ese diez por ciento.

—¿Es esto cierto? —le pregunté a Anita.

—Sí —contestó ella en voz baja.

—Sí —afirmó él, y prosiguió con su explicación—. No digo que el material erótico no excite a otras mujeres. Lo que digo es que los hombres son mucho más visuales, y que es más probable que las mujeres se exciten sexualmente leyendo material erótico en un libro —recordó haber presenciado cómo muchos huéspedes femeninos del Manor House sostenían un libro con una mano y se masturbaban con la otra.

—Puesto que ha pasado la mitad de su vida invadiendo la intimidad de los demás, ¿por qué se muestra tan crítico con que nuestro gobierno invada nuestra intimidad para poder localizar a terroristas y otros delincuentes? —pregunté.

—No me gusta criticar al gobierno..., es el único que tenemos, y todo el mundo puede cometer errores —dijo—, pero creo que nosotros hemos cometido demasiados errores. El voyeurismo del gobierno ha sido algo repentino. El Gran Hermano ahora se ha incorporado a nuestras vidas, a nuestras opiniones, a nuestros procesos mentales. Nos graban electrónicamente a todos en dispositivos que pocos comprendemos. Solo sabemos que están allí. Esta mañana he contado veinte cámaras de vídeo alrededor de su hotel, el Embassy Suites.

»No existe ninguna justificación para ese nivel de voyeurismo en el Embassy Suites —dijo, y repitió lo que me había reiterado muchas veces en el pasado: *su* voyeurismo en el Manor House era «inofensivo», porque los huéspedes no se daban cuenta, y su propósito nunca fue atrapar ni criminalizar a nadie. Pero sugirió que el objeto esencial del voyeurismo practicado por el gobierno que hoy conocemos es recoger pruebas; y a cualquiera que se oponga activamente a esa tecnología invasiva, en este periodo de sobreprotección posterior al 11-S, se le podría considerar poco patriota o incluso un traidor.

»La gente que está en el poder quiere mantener el *statu quo* —dijo, y esa gente no quiere que nadie ponga en evidencia que son unos embusteros y unos farsantes, que es lo que consiguió hacer el exempleado de la Agencia de Seguridad Nacional Edward J. Snowden al publicar documentos que afirmaban, por ejemplo, que las agencias de inteligencia de los Estados Unidos habían intervenido el teléfono incluso de su aliada en Alemania, la canciller Angela Merkel.

»En mi opinión, Edward Snowden es alguien que denunció prácticas ilegales de la organización para la que trabajaba —dijo Gerald Foos.

En lugar de haberlo empujado a exiliarse en Rusia y de que muchos lo consideraran culpable de traición, se le debería elogiar «por sacar a la luz algunos de los males de nuestra sociedad».

—¿No asegura usted también estar sacando a la luz algunos de los males de nuestra sociedad cuando comparte con nosotros lo que describió en el *Diario de un voyeur*?

—Sí —dijo—. Y también me considero alguien que denuncia aspectos nocivos de la sociedad.

—¿Y qué concluye de todo lo que ha presenciado?

—Que básicamente no se puede confiar en la gente —dijo—. Casi todos mienten, engañan y son unos falsarios. Hay muchos, muchos ejemplos de ello en el *Diario de un voyeur*, como todas esas personas que no pasaron la «prueba de honestidad», y predicaban una cosa y hacían otra. Intentan esconder en público lo que revelan de sí mismos en privado. Lo que pretenden mostrar en público es lo que *no* son en realidad, y el saberlo me ha llevado a ser muy escéptico con la gente en general. De hecho, por culpa de todo lo que vi desde la plataforma de observación, ahora soy una persona antisocial. Simplemente no confío mucho en la gente, y si puedo evitarla, la evito.

»Incluso ahora —prosiguió— que ya han pasado años desde que vendí los moteles, procuro permanecer alejado de la gente. No tengo a nadie a quien considere un vecino. Anita y yo procuramos permanecer al margen de nuestros vecinos. Los saludamos, pero mantenemos las distancias. Cuando salimos a cenar, vamos los dos solos. Por lo demás, me gusta estar solo.

—Pero anteriormente usted se ha descrito como dos personas —le recordé—. Dijo que en la oficina del motel usted era Gerald el Hombre de Negocios, y que en el desván era Gerald el Voyeur. Bueno, pues ¿quién es el responsable de no haber llamado a una ambulancia mientras aquella mujer yacía estrangulada en el suelo de la habitación 10 la noche del 10 de noviembre de 1977?

—De haber sabido que aquella mujer se estaba muriendo, habría llamado a una ambulancia de inmediato —contestó—. Habría dicho: «He pasado junto a la ventana y he oído un grito», o algo parecido. Naturalmente, no habría dicho que lo había visto desde la plataforma de observación. Habría dicho que lo había visto a través de una rendija en las cortinas.

Reconoció que tampoco había sido esa la primera vez que había permanecido inactivo mientras presenciaba escenas horribles en su motel. Anteriormente había sido testigo de violaciones, robos, abuso de menores, incesto, y en una ocasión había contemplado en silencio cómo un macarra le ponía un cuchillo en la garganta a una prostituta hasta que esta aceptó entregarle el dinero que él le acusaba de retener. El diario de Gerald menciona alguna ocasión en la que telefoneó a la policía para denunciar tráfico de drogas en su motel, pero no se emprendió ninguna acción porque no se mostró dispuesto a cooperar del todo como testigo.

Detestaba a los camellos en parte porque temía que sus actividades atrajeran al motel a la brigada de narcóticos, pero se volvió especialmente sensible a los dañinos efectos de la droga después del arresto de su hijo Mark. Aunque era una causa perdida, Gerald afirmó que en 2012 votó contra la legalización de la marihuana en Colorado.

—Ese camello de 1977 vendía drogas en la habitación 10 a algunos estudiantes jóvenes, y uno de ellos no tendría más de doce años —rememoró Gerald—. De todos modos, cuando ese traficante salió de su habitación con su novia, hice lo que había hecho siempre con los traficantes: entré y tiré las drogas por el retrete. Cuando regresó aquella noche y no pudo encontrar las drogas (las había escondido en una bolsa dentro del hueco de la calefacción, en la pared, tras sacar los tornillos), se puso a discutir con su novia.

»"¿Quién demonios ha estado aquí?", comenzó a gritar, y luego le echó la culpa a ella y la pegó, y ella se puso a gritar: "Soy tu novia, déjame en paz".

»Pero él siguió pegándole, cada vez más fuerte, y en cierto momento ella le dio una patada en la entrepierna, y él se puso realmente furioso y comenzó a estrangularla. La chica no tardó en derrumbarse y caer al suelo, justo delante de la rejilla de observación. Yo la veía justo debajo de mí, en el suelo, y no dejaba de repetir en voz baja: "No te muevas, no te muevas, podría estrangularte otra vez".

»Antes de abandonar el motel, el traficante recogió algunas de las cosas que se le habían caído a su novia, y se llevó algo de dinero y sus tarjetas de crédito. "No te muevas", seguía repitiéndole yo. A continuación, se dio media vuelta, abrió la puerta y desapareció. Continué vigilando desde allí arriba, me pareció que la chica respiraba, pero no se movía. Tenía los ojos cerrados, pero juro que vi cómo se le movía el pecho, y me dije: "Vale, se encuentra bien".

»Abandoné la plataforma de observación para irme a dormir y bajé a la oficina. Más tarde se lo conté a Donna, cuando regresó del turno de noche en el hospital. Me preguntó: "¿Viste si el pecho le subía y bajaba?". "Sí." "Bueno, entonces probablemente solo está inconsciente, o algo parecido. Recobrará el conocimiento y todo irá bien." Y yo dije: "Bueno, eso espero". Era muy tarde, y recuerdo que Donna repetía: "Por la mañana, probablemente se encontrará bien. No diremos nada, y ella tampoco. Ya sabes, su vida es su vida, y así son las cosas". Donna dijo: "Al hospital no paran de llegar mujeres estranguladas por sus maridos, o gente a la que le han pegado un tiro en la cabeza, y es terrible y...".

Gerald hizo una pausa antes de continuar:

—A la mañana siguiente llegó la camarera, y vi cómo iba entrando en las habitaciones. No tardó en llegar a la habitación 10, y abrió la puerta y entró. De repente salió corriendo y yo pensé: «Oh, no». Y supe lo que iba a decirme. Me dijo: «Gerald, creo que la mujer de la número 10 está muerta». «¿Cómo lo sabes?», dije. «No respira», contestó. «¿Dónde está echada?» «En el suelo», me dijo. Oh, no. Estaba echada justo donde la había visto por última vez.

Siguió con su relato:

—Llamé a Donna. «Ve a comprobarlo.» Y lo hizo, y cuando regresó, a paso realmente vivo, me dije: Jesús, no me lo digas: no tiene pulso. Y Donna entró y me dijo: «Está muerta, Gerald, está muerta». Y yo contesté: «Muy bien, vamos a llamar a la policía. Lo único que podemos hacer es llamar a la policía».

»Vino la policía, y tuvimos que esperar hasta que llegó el forense, cosa que llevó una hora o dos. La policía lo único que hacía era dar vueltas esperando al forense, pues tenían que custodiar el cadáver. Entonces aparece el forense con su pequeña furgoneta y un ayudante, cubren el cadáver, lo cargan en la furgoneta y se lo llevan a la sala de autopsias, y yo siento náuseas y digo: "Sabes, podría ser yo el responsable de esta muerte". Le dije a Donna: "La vi respirar". Y ella me contestó: "Lo sé, me lo dijiste".

Gerald aspiró profundamente y repitió lo que había dicho antes:

—Sí, de haber sabido que estaba muerta, habría llamado a una ambulancia y les habría dicho que al pasar junto a la ventana había oído un grito..., pero no fue así como ocurrió.

Treinta y cuatro

Tras regresar a Nueva York, seguí escribiendo y charlando regularmente por teléfono con Gerald Foos, aunque no parecía ocurrir gran cosa: no había nada más que añadir a su historia. Había escrito la página final de su diario. Pero aunque albergaba la esperanza de que sus confesiones pudieran reportarle «redención», y también acelerar la venta de su casa y de su colección de objetos deportivos, tuve la intuición de que le guiaba algo más que eso, e incluso de que *eso* quizá no fuera más que una ilusión por su parte.

¿Cómo podía suponer que su honestidad le reportaría nada positivo? Quizá solo acabara aportando pruebas que condujeran a su arresto inmediato, juicios posteriores y un amplio escarnio público.

Sin embargo, era posible que Gerald Foos *necesitara* esa notoriedad, pues su ego, sobre todo ahora que era consciente de su avanzada edad y su menguante salud, le impulsaba a buscar reconocimiento por lo que había visto y escrito durante sus muchos años como observador privado, y eso pesaba más que su miedo a que lo descubrieran. En cierto modo, era como ese pícaro voyeur retratado en el libro del profesor Steven Marcus *The Other Victorians,* un individuo a quien tanto atraía la idea de revelar sus actividades (o quizá era puro narcisismo) que redactó una confesión de numerosos volúmenes titulada *Mi vida secreta,* aunque no puso su nombre en el manuscrito. Por el contrario, Gerald Foos reconoció su verdadera identidad, asumió todos los riesgos, y, aunque aceptó mis condiciones, yo seguía sin estar seguro de cuál era su motivación, pues después de todo era un maestro del engaño.

Había pasado años fisgoneando sin que lo cogieran.

«Debido a la extrema cautela y precaución que caracterizan al Voyeur —escribió Gerald—, ninguno de sus sujetos ha descubierto el secreto de las rejillas de observación. Nadie ha sufrido nunca ningún daño ni se ha visto expuesto». Y lo que me comunicaba en sus cartas y llamadas telefónicas no era necesariamente lo que él creía, si es que llegaba a saber lo que creía. Era un hombre de muchos estados de ánimo y actitudes, y a veces se presentaba como historiador social, un pionero de la investigación sexual, alguien que denunciaba la corrupción de la sociedad, un solitario, alguien con doble personalidad, y un crítico resuelto a sacar a la luz las hipocresías y apetitos ocultos de sus contemporáneos.

Aunque la comparación quizá resulte inapropiada, pues Gerald Foos no fue responsable de desenmascarar la corrupción de un presidente, su impaciencia por ver reconocidos sus méritos al final de su vida me recordó la decisión de un agente del FBI llamado Mark Felt de dar un paso al frente y admitir que él era el famoso Garganta Profunda, la persona que denunció el caso Watergate. En unas memorias publicadas en 1979, Felt escribió que él «¡nunca le filtró información a Bernstein, a Woodward, ni a nadie!». Pero en 2005, cuando tenía casi noventa y dos años, Felt por fin se descubrió. Felt y su familia habían debatido si hacer pública o no su identidad. Un elemento decisivo, según su hija, fue el deseo de sacar provecho de la revelación. Según el artículo aparecido en *Vanity Fair* que reveló el secreto de Felt, la hija le dijo a su padre: «Al menos podríamos sacar dinero suficiente para pagar algunas facturas, como la deuda que he acumulado por culpa de los niños».

Sin embargo, Felt no tenía tan claro cómo esa revelación afectaría a su reputación, y hasta la noche antes se mantuvo en la duda. Era improbable que Felt se enfrentara a ninguna repercusión legal por ser Garganta Profunda, aunque anteriormente, en un caso sin relación alguna, lo habían acusado de conspirar para violar los derechos constitucionales de los estadounidenses. En 1972 y 1973, cuando aún era agente del FBI, Felt había autorizado el allanamiento ilegal de los domicilios de nueve personas relacionadas con el grupo izquierdista Weather Underground*. En el juicio celebrado contra Felt en 1980, Richard Nixon declaró en su defensa; su testimonio fue interrumpido por algunos espectadores que gritaron «mentiroso» y «criminal de guerra». Felt fue condenado y obligado a pagar una multa de ocho mil quinientos dólares, pero meses más tarde fue indultado por Ronald Reagan. Nixon le mandó a Felt una botella de champán acompañada de una nota: «A la larga, la justicia prevalece».

¿Qué cargos se podrían presentar contra Gerald Foos, si es que se podía presentar alguno? Admitía abiertamente ser un voyeur, aunque añadía que casi todos los hombres lo son. Foos insistía en que nunca había hecho daño a ninguno de sus huéspedes, puesto que ninguno había sido consciente de que los observaba, por lo que lo peor que se podía decir es que era culpable de intentar ver demasiado.

Había comenzado de niño arrodillado bajo el alféizar de una ventana, y medio siglo más tarde se había retirado de su vida tras las rejillas del desván para existir en una sociedad supervisada por cámaras callejeras, drones y los ojos de la Agencia de Seguridad Nacional.

Como voyeur, Gerald Foos estaba demodé.

Y el motel Manor House ahora también estaba demodé.

---

* Los Weather Underground fueron una organización izquierdista radical de los Estados Unidos que actuó desde 1969 hasta mediados de los setenta. Una de sus máximas proezas fue liberar de la cárcel a Timothy Leary, defensor de los usos terapéuticos del LSD. La película *Pacto de silencio,* dirigida por Robert Redford, trata de ese grupo. *(N. del T.)*

Arriba, el motel Manor House mientras era demolido. La «plataforma de observación» quedaba debajo del tejado a dos aguas. Abajo, Gerald Foos y su mujer, Anita, acompañados de Gay Talese en 2015, en el solar donde antes se encontraba el motel Manor House.

Treinta y cinco

Cuando Gerald y su mujer, Anita, vendieron el motel Manor House en 1995, el nuevo propietario se puso al frente sin conocer la historia que había detrás de aquellas placas de yeso rectangulares de quince por treinta y cinco centímetros situadas en el centro del techo de una docena de habitaciones. El motel cambió de manos en 1997, y se volvió a vender en el invierno de 2014 a una sociedad inmobiliaria dirigida por Brooke Banbury, un promotor de setenta y cinco años radicado en Denver.

El señor Banbury tenía previsto reemplazar el motel por un edificio de apartamentos de varios niveles, un hotel, o quizá un centro médico con un banco en la planta baja. Después de adquirir el motel, lo que contenía y el terreno que lo rodeaba por setecientos setenta mil dólares en efectivo, los anteriores propietarios no tardaron en vaciar su oficina y sus dependencias, dejando ropas y zapatos en el armario y comida en la nevera y bajo el mostrador de recepción. También dejaron una pequeña maleta cerrada con candado, y cuando Brooke Banbury la abrió descubrió un subfusil con tres cargadores llenos y balas extra. Llamó a la policía, que no devolvió el arma.

La mayor parte de las veintiuna habitaciones del edificio principal contaba con sábanas limpias en las camas, a excepción de media docena que habían utilizado los últimos huéspedes antes de la venta y después de que se fueran las camareras.

Más o menos una semana después de la venta, mientras Banbury se encontraba en el aparcamiento hablando con una pareja de funcionarios municipales, un Lexus todoterreno se acercó y ocupó una de las plazas. A continuación, salió del vehículo un caballero asiático bien vestido que se dirigió hacia una de las puertas de las habitaciones, de la que al parecer tenía llave.

Interrumpido por la sonora voz de Banbury, que declaró que el motel había dejado de funcionar como tal, el hombre regresó tan tranquilo a su coche y se marchó. Unos minutos más tarde llegó un segundo coche y aparcó en el mismo sitio. Esta vez salieron dos jóvenes asiáticas, y estaban ya a punto de llamar a la puerta cuando se retiraron rápidamente al oír que Banbury las llamaba y les hacía seña de que se fueran. Tras mirar de manera socarrona a Banbury durante un momento, las dos mujeres se miraron entre sí y se rieron al marcharse.

La intención de la esposa de Banbury, Mary Jo, era donar el contenido del motel —las camas, las cómodas, las lámparas, la ropa de cama y todo lo demás— a una de las organizaciones de beneficencia o asistencia social de la zona; pero todas lo rechazaron con la excusa de que carecían de capacidad de almacenamiento para un volumen de material tan grande, o de que no disponían de personal y vehículos suficientes para ir a buscarlo. Así que su marido contrató un equipo de demolición por unos treinta mil dólares para que lo derribaran todo y se lo llevaran.

Dedicaron a aquella tarea unas dos semanas, tras lo cual los trabajadores dejaron una parcela llana que medía treinta por ochenta y seis metros, cubierta de tierra y pequeños trozos de piedra y astillas de madera entremezclados con maleza, plantas rastreras y fragmentos de cable eléctrico, todo ello cercado por una valla de tela metálica. Y ese seguía siendo el aspecto de la propiedad cuando Gerald y Anita Foos la visitaron cuatro meses más tarde, hacia finales del verano de 2015.

Puesto que su casa en las afueras de Denver se halla a varios kilómetros de Aurora, y últimamente no habían pasado junto a su antigua propiedad de la avenida East

Colfax, se enteraron ya tarde de la venta y demolición del motel Manor House.

Anita tenía lágrimas en los ojos cuando aparcó el coche de la pareja en una calle lateral que bordeaba la valla. Durante unos momentos ella y Gerald, sentado en el asiento del copiloto, se quedaron mirando en silencio, a través de las ventanillas de su coche, la extensión de tela metálica que rodeaba los más de dos mil metros cuadrados de espacio vacío.

—Parece que todo ha desaparecido —dijo finalmente Gerald, abriendo la portezuela del coche y, con la ayuda de su bastón, subiendo a la acera.

Era una calurosa tarde de domingo y no había peatones, apenas unos cuantos automovilistas subiendo y bajando por la avenida East Colfax. Cuando Anita hubo salido del coche, la pareja caminó del brazo por la acera hacia la verja, que estaba abierta. No se veía ningún guarda de servicio, ni tampoco había ninguna señal de no pasar ni cámaras de seguridad, pero antes de cruzar la puerta, Gerald miró a derecha e izquierda para asegurarse de que nadie los veía colarse en esa propiedad ajena.

—Espero que encontremos algo que podamos llevarnos a casa —dijo Gerald cuando él y Anita entraron en el solar y comenzaron a recorrerlo con la cabeza gacha, en busca de algún recuerdo que pudiera añadirse a la colección que Gerald guardaba en el sótano: quizá el pomo de una puerta, una placa con el número de habitación, o algún otro pequeño objeto identificable.

Pero la cuadrilla de demolición lo había pulverizado todo hasta dejarlo irreconocible, exceptuando unos cuantos fragmentos de la piedra pintada de verde que había flanqueado el sendero que corría a lo largo del aparcamiento (el propio Gerald la había pintado, y escogió dos trozos para el maletero del coche), y también un fragmento de cable eléctrico que había ido conectado al cartel rojo que, en alto, exhibía el nombre del motel.

—Aquí es donde nos conocimos —dijo Gerald, refiriéndose a la tarde de 1983 en que, mientras estaba en lo alto de la escalera cambiando el rótulo, intercambió unas palabras de saludo con Anita, que en aquel momento paseaba por la acera tirando de un carrito en el que iban sus dos hijos.

—Entonces fue cuando me pediste mi número de teléfono —recordó ella.

—Sí —dijo él, y añadió—: Es una pena que no viniéramos antes, cuando estaban derribando el edificio. A lo mejor habríamos encontrado un trozo del cartel.

Estuvieron dando vueltas por el solar durante otros quince minutos, con la cabeza gacha pero sin localizar nada más de interés.

Los dos llevaban ropa oscura: Anita, un vestido estampado negro y zapatos de tacón bajo, y Gerald, un traje negro con una camisa blanca y corbata de seda gris. Ninguno de los dos llevaba sombrero, y Gerald sudaba y también se quejaba de fatiga.

—Volvamos a casa —dijo Anita.

—Sí —contestó Gerald, al tiempo que la agarraba del brazo y se encaminaban hacia la verja del solar—. Ya he visto suficiente.

Nota del autor

Después de que *El motel del voyeur* entrara en prensa, el *Washington Post* puso en tela de juicio las fechas entre las que Gerald Foos fue propietario del motel Manor House de Aurora, Colorado. Yo visité a Gerald Foos a principios de 1980, y más tarde, ese mismo año, Foos vendió el motel a un hombre llamado Earl Ballard. Después de la publicación del reportaje del *Washington Post*, donde oí hablar por primera vez de Earl Ballard, hablé con él y con Foos, y ambos me confirmaron que durante el tiempo en que Ballard fue propietario, Foos tuvo acceso permanente al motel. En agosto de 1983, Ballard vendió el establecimiento, y Foos ya no pudo seguir entrando en el desván hasta que volvió a comprar el motel en julio de 1988. Posteriormente Foos vendió el motel Manor House de manera definitiva en agosto de 1995.

Como ya dejé claro en la primera edición de este libro, Foos era un narrador inexacto y poco fiable, pero sin duda fue un voyeur épico. Los sucesos que afirma haber presenciado como voyeur, las escenas relatadas en su diario y en este libro, tuvieron lugar, en su totalidad, antes de mi visita de 1980 y antes de la primera venta del motel. Debido al reportaje del *Washington Post*, en esta edición se han introducido una serie de cambios de escasa importancia. Por lo demás, el libro permanece tal cual.

Nota del autor